奈良時代の大安寺

資財帳の考古学的探究

上原眞人
京都大学名誉教授

大安寺歴史講座 4

南都 大安寺編

東方出版

はじめに

光栄にも、奈良県立図書情報館一階交流ホールにおいて、二〇一六年六月一八日、八月二〇日、一〇月一五日の三回にわけ、「大安寺伽藍縁起并流記資財帳」で講演する機会を設けていただいた。天平一九（七四七）年に成立した「大安寺歴史講座5」（以下、『大安寺資財帳』と略記）を資料とし、おもに考古学的視点から奈良時代の大安寺の実体を検討した前著（『古代寺院の資産と経営――寺院資財帳の考古学』［上原二〇一四］）が関係者の目にとまったためである。講座では＜大安寺伽藍縁起を考古学する＞＜大安寺の動産財を考古学する＞＜大安寺の不動産財を考古学する＞と題し、前著の一部をかいつまんで紹介した。講演中、それを書き起こして本にする相談があった。成り行き上、お引き受けしたが、すでに活字になった内容を、そのまま別の本にするのは気が進まなかった。

天皇発願の大寺院である大安寺の資財帳を主題にした前著以後、私の関心は、平安京近傍の氏寺に起源し、平安初期の大火災から奇跡の復興をとげ、現在まで法灯を保つ太秦広隆寺の資財帳の分析に移り、ようやく一書をまとめることができた（『古代寺院の生き残り戦略――資財帳が語る平安時代の広隆寺』［上原二〇二〇］）。その過程で『大安寺資財帳』もくり返し参照し、前著や講座で見逃した事実や論証が不充分だった点にも気づいた。貴重な紙資源を費やして新たな本を刊行するなら、その成果を加味したいと考え、書き起こしていただいた原稿を全面改訂したのが本書である。〈資財帳の考古学的探究〉という副題は、資財帳が語る奈良時代の大安寺に、前著よりさらに深く近づきたいという思いをこめている。

と言っても、同じ素材なので、前著や講座とまったく異なる内容にはならない。基本的には前著の誤りを訂正し、不足を補うことを念頭に置いて、寺院資財帳とは何か（第一章）、縁起はなぜ「大安寺」呼称を無視したのか（第二章）、大安寺の基本財産となる仏像（第三章）、道慈の「改造大寺」とは何か（第四章）、大安寺でもっとも裕福だった僧の運命（第五章）、大安寺食堂の位置（第六章）という六つのテーマを設けた。第四章以外は前著や講座でふれた話題だが、より深く追究できたと自負している。とくに、第三章で検討した安置仏像の全貌と歴史的背景の探究、それを踏まえた第四章の道慈の事績探究、第六章の食堂院など周辺施設の復原は、大安寺研究における新たな問題提起になるはずだ。ほかの訂正・追加事項は、機会を改めたい。

●目次

第三章　大安寺の基本財産となる仏像　61

第四章　道慈の「改造大寺」とは何か　102

序章　『大安寺資財帳』分析の方法と視角

大安寺ファンが集結する大安寺歴史講座で、話をする機会を設けていただき、光栄に存じます。私は二〇一四年に、大安寺の歴史と保有する資産を記録した奈良時代の文書、すなわち天平一九（七四七）年に作られた「大安寺伽藍《がらん》縁起《えんぎ》并《ならびに》流記《るき》資財帳《しざいちょう》」（以下『大安寺資財帳』と略称）を、考古学的視点から分析・検討した一書（『古代寺院の資産と経営――寺院資財帳の考古学』すいれん舎。以下、前著［上原二〇一四］として引用）を公刊しました。今日、この場に立つ機会を与えられたのは、それがお目にとまったのだと思います。

私は、一九九六年まで奈良国立文化財研究所（現在の「独立行政法人国立文化財機構奈良文化財研究所」）に勤務し、平城宮・京跡や飛鳥藤原宮跡を含む古代遺跡の発掘調査に関与してきました。しかし、残念ながら、国史跡大安寺旧境内を発掘する機会はありませんでした。私が奈良国立文化財研究所に入所した年に、奈良市教育委員会にも埋蔵文化財を調査研究する部署が誕生し、従来は奈良県教育委員会（奈良県立橿原考古学研究所）や奈良国立文化財研究所が分担あるいは協力しておこなってきた大安寺旧境内の発掘調査を、一組織が一手で実施する体制が生まれたからです。

宮殿や官衙《かんが》（役所）・集落・寺院などの大規模な遺跡の発掘調査は長期におよぶので、同じ基準でデータを積み上げることや、そのデータを一つの場所で統合的に管理・整理することが重要です。その後、奈良市が三〇数年にわたって積み上げた発掘調査成果については、「大安寺歴史講座2」において、奈良市埋蔵文化財調査センター所長だった森下恵介さんの講演があり、その内容もすでに出版されています［森下二〇一六］。また、『大安寺資財帳』についても、「大安寺歴史講座1」で菅谷文則さんが二〇一三年の七月から六回にわたって講演され、その成果も刊行されました［菅谷二〇二〇］。

話を進めるにあたって

ここでは『大安寺資財帳』をおもな材料に、『日本書紀』『続日本紀』をはじめとする正史や他の文献史料、奈良市などによる発掘調査成果と対比しつつ、奈良時代の大安寺に関わる諸問題を検討します。前著では、『大安寺資財帳』本文を新字体・当用漢字に改め、句読点を付した全五二〇行を巻末に掲載し、逐語的に検討・解説しました。ここでは、『大安寺資財帳』の全文は再録せず、いくつかのテーマを選び、検討に際して原文が必要ならば、原文書における行位置を冒頭に示して引用し、必要に応じて逐語的解説を並記しました。ただし、内容を理解する上で不可欠な時は、行替え位置を尊重しますが、不要な場合は行替え位置を無視し、わかりやすい形に改めます。したがって、冒頭の行位置を示す数値は、引用文の行数に必ずしも対応しません。また、『大安寺資財帳』の構成を説明する時も原文書の行位置を付記します。

『大安寺資財帳』の本文全体は、前著の巻末史料以外に、竹内理三編『寧楽遺文《ならいぶん》』（一九四三年）、大安寺史編纂委員会『大安寺史・史料』大安寺発行（一九八四年）、松田和晃『索引対照 古代寺

院資財帳集成 奈良朝』すずさわ書店（二〇〇一年）や『大安寺伽藍縁起并流記資財帳を読む（大安寺歴史講座1）』（二〇二〇年）でも参照できます。前著の巻末史料以外に、原文書の行位置は松田さんの著作でも対照できます。現在、原本は千葉県佐倉市の国立歴史民俗博物館にありますが、かつては奈良市の正暦寺が所蔵していたので「旧正暦寺本」と呼ぶこともあります。

『大安寺資財帳』が成立した天平一九年は、藤原広嗣《ひろつぐ》の乱（天平一二年）後、都が平城宮から恭仁《くに》宮・紫香楽《しがらき》宮・難波宮へと転々とした混乱がおさまってから二年目にあたります。天平一七年に還都した平城京の東では、東大寺造営組織＝造東大寺司が稼働し始めて、紫香楽宮で着手・挫折した大仏造営事業が本格化します。しかし、大仏開眼供養は四年後の天平勝宝三（七五一）年のことで、まだ東大寺は国家仏教の中心的存在になっていません。つまり、天平一九年当時、日本で一番大きな寺は大安寺でした。

『大安寺資財帳』は、大安寺という寺（伽藍）の由緒いわれ（縁起）と財産目録（流記資財帳）を記しています。「流記」と「資財帳」は、さほど意味に違いはないとのことです。つまり、七四七年という時点で認識されていた大安寺の歴史と、大安寺が保有していた資産を知る上で、必要不可欠な史料が『大安寺資財帳』なのです。とくに、大安寺の資産に関わる記録は、正史などの編纂史料とは異なるリアルタイム（同時代）史料で、しかも作成者の意志や思いが入りこむ余地の少ない台帳です。もちろん、『大安寺資財帳』の重要性は、古くから様々な研究者が認識していました。寺院史分野では、冒頭の由緒いわれ（3〜54行）について多種多彩、詳細な研究が積み上げられています。美術史分野では、財産目録の中でも仏像に関する記載（55〜92行）がよく利用されます。建築史では、建物施設の記載（352～388行）をもとに伽藍配置や建築構造の研究が進み、大安寺の発掘調査も、その成果にもとづいて進められています。また、日本古代史では、税制史、土地制度史、寺領荘園史などの研究において、食封《じきふ》や出挙《すいこ》、日本各地の大安寺領に関する記載（389～482行）が分析対象です。これらの研究成果は膨大で、研究史を回顧するだけでも各分野ごとの書物が必要です。しかし、財産目録のメインとなる金銀銭貨・備品・調度品・消耗品の台帳（110～351行）は、あまり研究されておらず、それを含めた『大安寺資財帳』全体が語る奈良時代の大安寺像に迫る成果は少ないように思います。

『大安寺資財帳』分析の意義

その理由の一つに、登録された備品・調度品・消耗品の名をみても、具体的な形や用途がわからないものが少なくないことがあります。また、単に物品名が並んでいるだけなので、相互の脈絡が見えにくく、意義づけが難しいこともあります。しかし、並んだ物品名を調べると、正倉院宝物にまさるとも劣らないものを多く含みます。正倉院宝物は、現在、宮内庁所管ですが、本来は東大寺に納められたものです。東大寺は奈良時代最大の官営寺院ですが、『大安寺資財帳』が成立した時は造営工事が始まったばかりで、その宗教活動はまだ本格化していません。東大寺以前の日本における最大寺院は大安寺で、その資産が正倉院宝物級なのは当然です。以下、実物は残っていませんが、『大安寺資財帳』に登録された正倉院宝物級の資財を含む大安寺の財産を、大安寺宝物と総称して論を進めます。まず、大安寺宝物は何に使ったのでしょう。

正倉院宝物は、現在、宮内庁正倉院事務所が一片の塵芥に至るまで、保存管理、研究、修理を継続しています。日本の宝、否、世界の宝を後世に正しく伝えるのが目的です。しかし、『大安寺資財帳』に記載された正倉院宝物級の品々は、後世に伝えることを目的に保管されていたわけではありません。それは、七四七年時点における大安寺の経済的・社会的・宗教的基盤として必要不可欠な物品で、大安寺という巨大宗教組織の経営活動・宗教活動を具体的に支える物的資産でした。つまり、資財帳を分析すれば、寺院という古代法人組織の経営・宗教活動の実態が見えてくるのです。

また、正倉院宝物の主体が東大寺に納めた聖武天皇遺愛の品々であるのに対し、大安寺宝物で主体となるのは、それ以前の品々です。『大安寺資財帳』の縁起によれば、平城京大安寺は藤原京（文武朝）大官大寺、天武朝高市大寺、舒明《じょめい》・皇極《こうぎょく》（斉明《さいめい》）朝百済大寺、聖徳太子の熊凝《くまこり》寺へとさかのぼります。大安寺宝物のなかに熊凝寺に由来するものは確認できませんが、舒明・皇極朝のものは確実に存在します。『大安寺資財帳』の冒頭を飾る縁起に疑問を抱く研究者もいますが、聖徳太子の熊凝寺に起源するという伝承に疑問はあるとしても、舒明・皇極朝以降の縁起は大安寺宝物によって物的に裏付けられています。つまり、正倉院宝物が八世紀中葉以降のものが主体であるのに対し、大安寺宝物には七世紀中葉~後半にさかのぼる品々が少なくありません。大安寺宝物は正倉院宝物より古い様相を多く備えているのです。以下、叙述に際しては、『大安寺資財帳』を通じて、当時最大の寺院の経営・宗教活動の実体解明、正倉院宝物より古い寺院資産の実体解明という視点を留意しつつ話を進めることにします。

第一章　寺院資財帳とは何か

『大安寺資財帳』の基本構成と本書の主題

仏教の根幹となるのは「仏」「法」「僧」、すなわち三宝です。「仏」は釈迦の骨（舎利）や姿（仏像・仏画）などの信仰・礼拝対象、「法」は釈迦の教えである経典、「僧」は経典を学び仏の礼拝を通じて仏法の力を具体化する者で、男性は僧、女性は尼と呼ばれます。三宝が集中する施設が寺院です。そして、『大安寺資財帳』は、寺院が基本的に仏法僧で構成されるという考えのもとで作成されました。

すなわち、冒頭（3～54行）で大安寺の歴史（縁起）を概観します。『大安寺資財帳』が描く大安寺の歴史については多くの検討成果がありますが、第二章で問題点を指摘し、解決の糸口を探ります。続く55～92行で、大安寺に安置された仏像（彫刻）や仏画、93～107行で経典を列記し、108・109行で僧数を記しています。つまり、財産目録の冒頭で、大安寺にある仏・法・僧を具体的かつ数量で示しているのです。第三章では、とくに『大安寺資財帳』の「仏」をとりあげ、奈良時代の大安寺が祀った仏像・仏画の全貌を明らかにします。なお、大安寺の仏像や法会の充実に尽力したのが道慈です。しかし、道慈の事績については誤解が多いので、とくに第四章を設けて検討を加えました。仏像・仏画に続く金属製品・布帛・調度品をはじめとする大安寺にある動産（110～351行）に関しても、一部例外もありますが、物品ごとに「仏物」「菩薩物」、「法物」、「聖僧物」「常住僧物」、「通物」など、仏法僧のどれに帰属するのか割注で明記しています。つまり、寺院の保有物は、仏のもの、法にかかわるもの、僧のもの、共通資産に大別できるという考えで、『大安寺資財帳』は作られているのです。第五章では、列記された物品のなかで「聖僧物」に注目し、古代寺院における聖僧の役割を検討し、以後、聖僧が没落する理由を明らかにします。

さらに352～388行では、平城京《なら》左京六条四坊と七条四坊において一五坪を占めた大安寺の敷地（以下、『大安寺資財帳』に倣い「寺院地」と呼ぶ）にあった建物施設について、規模や屋根葺材を解説しています。この部分は、奈良市埋蔵文化財調査センターの発掘成果と深くかかわり、すでに森下さんが紹介しています［森下二〇一六］。第六章では森下さんと意見が異なる食堂院・禅院・大衆院・政所院に関わる記事を取りあげて、寺院地内で占める位置を検討します。389～482行では、日本各地に分布する大安寺食封・墾田地・薗地・庄園などを列記します。大安寺の経済的基礎になる基本資産です。483～502行には、寺院地内倉庫で保管した各地から貢納された糒《ほしいい》・米・籾・稲の内訳を登記しています。これら寺院地外の基本資産やその貢納品は、ここでは扱わないので、前著を御参照願います。そして503～520行には、『大安寺資財帳』の成立経緯と成立に関与した僧名が並びます。本章では、まず、以上のような内容盛りだくさんの寺院資財帳が、どのような歴史経緯で生まれたのか、簡単に説明いたします。

寺院縁起・資財帳の起源

北海道や南島を除く古代の日本列島を一つの国家にまとめ上げた律令制は、国土を畿内七道―

国―評（郡）―五十戸（郷里）に組織し、戸籍で人民＝百姓一人ひとりの居住地を確定し、国家の土地である公田を分配し、性別・年令等にもとづいて課税する個別人身支配をめざしました。僧尼は課税対象外ですが、寺院を拠点として国家の安寧を祈願するため、修行・勉学にはげみ、清浄な心身で法会を開催し参画することが義務づけられています。僧尼に資格を与える得度《とくど》権は教団にはなく、律令国家が直接把握しました。人民を土地に縛りつけて課税する個別人身支配が、律令国家がめざした政治体制とすれば、国家公務員である僧尼を、寺院という場を通じて把握することが、律令制の仏教政策の基本でした。

つまり、律令国家の仏教政策のかなめとなるのは、僧尼政策と寺院政策なのです。寺院を掌握するため、由緒いわれや財産目録を記録・提出させたのが寺院資財帳です。中世以降も、寺院の基本資産である荘園目録や寺院の由来書（縁起）は数多く作られます。しかし、縁起に始まり仏像や経典の目録、居住僧尼数に加えて、備品・調度品・建物施設や寺領に至るまで詳細に記録し、定期的に更新した寺院縁起・資財帳は古代に特有です。

寺院縁起を公文書として上奏することは、推古天皇三二（六二四）年九月三日、寺と僧尼について調査し、各寺が造られた経緯と僧尼が出家した由来と得度した年月日を詳細に記録させたことに始まります。この時、寺四六所、僧八一六人、尼五六九人を数えたとのことです［『日本書紀』］。一方、寺院資財帳の起源は、「大化改新詔」後に孝徳天皇が寺院造営援助を詔した時、運営責任者（寺司・寺主）を招集し、諸寺を巡行し保有する僧尼・奴婢の数や田畝を調査し奏上させたことに始まります［『日本書紀』大化元（六四五）年八月八日条］。その後、「諸寺田記」の錯誤を改正して一通を所司が蔵し、一通を諸国に頒けたように『続日本紀』和銅六年四月一七日条〕、必要に応じて調査内容を更新しました。

しかし、現存する寺院縁起并資財帳（次頁表1）のもとになる書類が作られたのは、聖武朝、天平時代になってからです。天平五（七三三）年一〇月二一日、出雲国司が中央の弁官に発送した一九巻二紙からなる公文書に「僧尼帳一巻」「寺財物帳一巻」が含まれています〔天平六年「出雲国計会帳《けいかいちょう》」『寧楽遺文』〕。同年二月三〇日に編纂を終えた『出雲国風土記』は、厳堂《ごんどう》（金堂）や塔をもつ仏教施設一一所を計上します。しかし、うち一〇所は寺名がまだ決まっていない「新造院」で、寺名がある寺は意宇郡《おうぐん》舎人郷の「教昊寺《きょうこうじ》」ただ一つでした。教昊寺だけが寺として公認されていたのです。「寺として公認する」意義は次章で検討します。ここでは、天平五年に発送された出雲国「寺財物帳一巻」とは教昊寺の資財帳で、既知「最古の資財帳」となることを確認しておきます〔水野一九九三〕。

恒式となった「天平十九年帳」の作成手順

地方寺院の資財帳作成が天平五年以前に始まったのに対し、中央大寺院における資財帳の作成・提出はやや遅れます。文書末尾の記載事項から、『大安寺資財帳』は以下の手続きで作成されたとわかります。まず、天平一八年一〇月一四日、勅（天皇の命）を受けた左大臣＝橘諸兄《たちばなのもろえ》の名で、僧綱所《そうごうしょ》が牒《ちょう》により「大安寺縁起并流記資財物等の詳細を調べて申告するように」と大安寺に命じます。僧綱所は玄蕃寮《げんばりょう》が所管する役所です。玄蕃寮は二官八省の一つである治部省《じぶしょう》の配下

表1　古代寺院資財帳一覧（以下、これらの資財帳を引用する時は、原則として、西暦年「資財帳名」で表示）

名　称	成立年代	収　録	特　徴
大安寺伽藍縁起并流記資財帳	天平一九（七四七）年二月一一日	『寧楽遺文』	品目ごとに仏法僧の帰属を明記
法隆寺伽藍縁起并流記資財帳	天平一九（七四七）年二月一一日	『寧楽遺文』	品目ごとに仏法僧の帰属を明記
法隆寺東院縁起資財帳	天平宝字五（七六一）年一〇月一日	『寧楽遺文』	物品の保管状態や付属品を明記
阿弥陀悔過料資財帳	神護景雲元（七六七）年八月三〇日	『大日本古文書』	東大寺上院阿弥陀堂悔過会資財目録
西大寺資財流記帳	宝亀一一（七八〇）年一二月二五日	『寧楽遺文』	もとは四巻本で第一巻写本が残る
多度神宮寺伽藍縁起并資財帳	延暦七（七八八）年一一月三日	『多度町史』	資財を仏法僧・通物・太衆等に分類
宇治院資財帳	貞観三（八六一）年一一月一七日	『平安遺文』	一二棟の建物と湯船等の雑物を列記
安祥寺縁起資財帳	貞観九（八六七）年六月一一日	『京大史料叢書』	資財を仏法僧・建物・施入物に分類
広隆寺資財帳	貞観一五（八七三）年	『平安遺文』	仏法僧・通物・水陸田・別院に分類
観心寺縁起資財帳	元慶七（八八三）年九月一五日	『平安遺文』	建物別の物品・寺領の由来と四至
広隆寺資財交替実録帳	寛平二（八九〇）年	『平安遺文』	貞観帳等を元に検収・新堂院追加
観世音寺資財帳	延喜五（九〇五）年一〇月一日	『平安遺文』	仏法僧以外の項目が多様化する
神護寺交替実録帳	承平元（九三一）年一一月二七日	『平安遺文』	堂塔等施設・仏像・文書の点検記録
信貴山寺資財宝物帳	承平七（九三七）年六月一七日	『平安遺文』	御堂・仏像・経典・費財・山地田畠
仁和寺御室御物実録	天暦四（九五〇）年一一月一〇日	『続々群書類従』	厨子・韓櫃ごとに内容の資財を列記
実録近長谷寺堂舎并資財田地等事	天暦七（九五三）年二月一一日	『平安遺文』	諸堂と荘厳・仏・僧具、調度品列記
某寺資財帳	天元三（九八〇）年二月二日	『平安遺文』	双堂・住房諸施設と仏法僧具等
観世音寺宝蔵実録日記	嘉保年間（一〇九四～九六年）	『平安遺文』	櫃ごとに内容物を過去帳と対比点検

にあって、寺院・僧尼・外国使節の接待などを担当します。牒は所管関係のない官庁間の文書（＝移）に準拠し、ここでは各寺と諸官庁の間で取り交わす文書を指します。この牒を受けて、各寺の三綱（寺務を管理する三種の役僧＝上座《じょうざ》・寺主《じしゅ》・都維那《ついな》）が文書を作成し、天平一九年二月一一日付で僧綱所に提出。僧綱所は大僧都《だいそうず》法師行信《ぎょうしん》以下が署名し、天平二〇年六月一七日付で一通を各寺に戻し、「恒式」として保存するように左大臣名で命じています。

ほぼ完存する大安寺と法隆寺の縁起并流記資財帳だけでなく、縁起だけが残る「元興寺縁起」も同じ日付です。さらに、本文は残っていませんが、弘福寺（川原寺）にも天平一九年の「寺縁起財帳一巻」があったようです［延暦一三年五月一一日「大和国弘福寺文書目録」『平安遺文』一二号文書］。つまり、「天平十九年帳」は、大和国内にあった大寺院が一斉に作成したと考えられます。それは、以後に製作する縁起・資財帳の手本となるもので、以前からあった財産目録が参考になったとしても、文書として著しく規範的・統一的だったと思います。たとえば、仏像を祀る寺院の中心的建物を、『日本書紀』は「仏殿」「仏堂」「仏舎」、『出雲国風土記』は「厳堂」と様々に表記しますが、「天平十九年帳」以後は、ほぼ「金堂」で統一されるようになります。

資財帳の変貌

資財帳は律令政府に提出する申告文書ですが、寺院自身も、自らの経済活動・宗教活動を推進するには、資産をきちんと管理する必要があります。「天平十九年帳」を資産管理台帳に使用した形跡はありませんが、表1の資財帳の中でも、七六七年「阿弥陀悔過《けか》料資財帳」、八九〇年「広隆寺資財交替実録帳」、九〇五年「観世音寺資財帳」は、「破損不用（壊れて使えない）」「失物（紛失し行方が確認できない）」「今校大破（今検討すると大破している）」など実物照合の結果を注記しており、台帳として機能したことがわかります。とくに、八九〇年「広隆寺資財交替実録帳」は、一七年前と四年前に作成された「初帳（貞観十五年帳）」と「後帳（仁和二年帳）」を参照した上で、現物と照合し確認した結果を記録しており、稀にみる正確な内容を備えた資財帳と評価できます［上原二〇二〇］。

資産内容は時とともに変わります。使いものにならない道具は廃棄され、新しく購入したり、寄贈されます。資財帳は政府に提出する公式文書なので、最新データが必要です。現在なら、ウェブでリアルタイムの情報が提供できます。八世紀には一年更新を義務づけたようですが、どこまで実現できたか疑問です。

目録を定期的に更新し、上級官庁に提出するには手間と時間がかかります。できればやりたくないのが担当者の本心だと思います。延暦一七（七九八）年正月二〇日の太政官符は、五畿内七道の「諸国定額諸資財等帳」は朝集使《ちょうしゅうし》（各国司が太政官に送る行政報告の使者）に付して毎年中央に提出していたが、以後はこれを止め、国司交替に合わせて調査（検校《けんぎょう》）を継続するよう指示しています。毎年更新という手間に、現場が悲鳴を上げたに違いありません。しかし、公文書の提出を義務づけずに、検校だけ指示しても効果は期待できません。天長二（八二五）年五月二五日、再び諸国に六年一進（後に四年一進）で資財帳を提出するように義務づけます。つまり、地方寺院の資財帳は、九世紀になると、国に提出する申告書類として、毎年ではなく、国司の交替に合わせて提出する体制に代わったのです［『類聚三代格』巻三、定額寺事《じょうがくじのこと》］。八七三年「広隆寺資財帳」は、これらの太政官符を受けて作成され、巻末にその旨を明記します。

箱や袋に入った資産

財産目録を更新するには、旧目録の登録品を現物と照合して、有無や状態をチェックする必要があります。その手間と時間の浪費感は、会計検査などで誰もが経験済みでしょう。しかも、「天平十九年帳」には台帳として著しい欠陥がありました。前項で述べたように、資財帳は律令政府に提出する申告書類です。申告を受け審査する立場では、資産目録には物品の種類毎の員数が記録されていれば、こと足ります。「天平十九年帳」は、この立場で作成されました。しかし、組織として財産を管理するには、保有物品名だけでなく、それがどの施設で、どのような形で保管されているかを記録せねばなりません。

天平一九年時点の大安寺にあった仏像・経典・金属器・調度品などの種類と員数は『大安寺資財帳』に明記されています。しかし、各品物がどこでどのような形で保管・管理されているのか、『大安寺資財帳』はほとんど語ってくれません。たとえば、七六七年「阿弥陀悔過料資財帳」は「琥珀念珠一貫水精節　納革箱一合小撲子一条表合纈裏浅緑」を登録しています。節目に水晶玉をはさんだ琥《こ》珀《はく》製念珠を、浅緑色の裏地で纐纈染《こうけちぞめ》の数珠包み（撲子《ぼくし》）にくるんで、小さな革箱に納めていたのです。念珠の保管法として妥当で、東大寺上院地区にあった阿弥陀堂内で小さな革箱を探せば、この念珠はみつかるはずです。ところが『大安寺資財帳』174・175行は、二九貫もの念珠、すなわち「合誦数弐拾玖貫五貫水精　一貫牙　一貫銅　一貫銀　一貫菩提樹数五十三丸　二貫新羅　十五貫白檀　二貫琥珀　一貫水精琥珀交　並仏物」を登録しますが、保管法は記録していません。小箱や包みは267行「合皮筥弐拾合仏物」268行「合草筥弐佰弐合仏物七十六合　法物卅六合　通物九十合」297・298行「合種種物覆弐拾参条仏物十五条　之中一黒緑　七紫　七緑　法物七条　之中一切経緑覆五条　交縫紗帳二条　菩薩赤綾一条」を登録しますが、何を入れた筥《はこ》なのか、何を包んだ覆《おおい》なのかわかりません。この台帳では、『大安寺資財帳』に登録された念珠を現物と照合するのは不可能です。しかも、保管法だけでなく、各念珠がどの建物にあるのかも不明です。

所在を確認できる資財帳への変貌

天平一九年の大安寺は、平城京条坊の一五坪（約二六万平方メートル）を占め、なかには金堂・講堂・食堂をはじめとする多数の建物施設がありました。『大安寺資財帳』に登録された物品には、「塔分」「温室分」など所在建物を暗示する注記も認められますが、主流ではありません。たとえば経典は厨子《ずし》や櫃《ひつ》で保管したはずですが、『大安寺資財帳』は経典は経典、厨子は厨子、櫃は櫃で登録しており、どの厨子や櫃にどの経典を入れて、どの建物で保管しているのか見当がつきません。つまり、『大安寺資財帳』に登録された物品を実物と照合することは、ほとんど絶望的なのです。それは資財帳がもともと申告書類だったことに由来します。各寺院が保有する資産の内容や数量を把握するのが目的で提出させた書類なら、念珠・経典・小箱・包み・厨子・櫃、各々の保有量がわかればよいのです。各々の材質や形状・色彩が付記されていれば、さらに上出来です。しかし、資財帳を更新する時は、以前に作成した資財帳の資産目録を実物と対照して、有無や状態を確認せねばなりません。「天平十九年帳」は、その作業にまったく向いていないのです。「天平十九年帳」以後の資財帳では、この欠陥は急速に改善されます。たとえば、七八〇年「西大寺資財流記帳」には、吉備命婦《きびのみょうぶ》由利《ゆり》が進納した経律論《きょうりつろん》疏《そ》など一〇二三部五二八二巻（五一六帙《ちつ》）を、長五尺、広二尺四寸、高四尺一寸の厨子四基に納めて四王堂に安置したことを、厨子の外内装や鍵の説明とともに記録しています。つまり、吉備真備の娘で称徳女帝の寵臣だった吉備由利が奉納した経典の有無や状態を確認するには、四王堂に行き、当該厨子四基の中身を見ればＯＫというわけです。このような資財帳の改善が、七六七年「阿弥陀悔過料資財帳」において認められる事実は上述したとおりです。それを推進したのは、現場で照合作業やチェック作業に従事した事務担当者に違いありません。古代日本における事務官僚の優秀さには、目を見張るものがあります。なお、吉備由利が西大寺に奉納した経典は、ほとんどが行方不明ですが、東京国立博物館には「天平神護二（七六六）年十月八日正四位下吉備朝臣由利 奉為天朝奉写一切経律論疏集傳等一部」の奥書がある重要文化財「等目菩薩経 巻中」が所蔵されています。

　以上、古代寺院の資財帳がどういうものか、おおよそ理解できたと思います。『大安寺資財帳』を通読するためには前著［上原二〇一四］や菅谷文則さんの御著書［菅谷二〇二〇］を参照していただき、以下、『大安寺資財帳』の記事を他の史料や考古資料と対比しつつ、大安寺をはじめとする奈良時代寺院史の一面を明らかにします。まず、冒頭の縁起すなわち大安寺の歴史について記した部分から解説します。

第二章　縁起はなぜ「大安寺」呼称を無視したのか

縁起読解・解説Ⅰ

『大安寺資財帳』冒頭の縁起3～22行は、大安寺が成立した経緯を、次のように説明します。

初飛鳥岡基宮御宇　天皇之未登極位、号曰田村皇子、是時小治田宮御宇　太帝天皇、召田村皇子、以遣飽浪葦垣宮、令問厩戸皇子之病。勅、病状如何、思欲事在耶、楽求事在耶。復命、蒙天皇之頼、無楽思事、唯臣伊羆凝村始在道場、仰願奉為於古御世御世之帝皇、将来御世御世御宇　帝皇、此道場乎、欲成大寺営造、伏願此之一願、恐　朝庭譲献止奏支。太皇天皇受賜已訖、又退三箇日間、皇子私参向飽浪、問御病状、於兹上宮皇子命謂田村皇子曰、愛哉善哉、汝姪男、自来問吾病矣、為吾思慶可奉財物、然財物易亡而不可永保、但三宝之法、不絶而可以永伝。故以羆凝寺付汝、宜承而可永伝三宝之法者。田村皇子奉命大悦、再拝白曰、唯命受賜而、奉為遠皇祖並大王、及継治天下　天皇御世御世、不絶流伝此寺、仍率将妻子、以衣斎褁土営成而、永興三宝、皇祚無窮白

（意訳）飛鳥岡本宮で最初に政治を執った天皇すなわち舒明天皇が即位する前、まだ田村皇子と呼ばれていた時に、小治田宮《おはりだのみや》で政治を執った太帝すなわち推古天皇が皇子を召し、病に伏せっていた厩戸皇子＝上宮皇子（聖徳太子）を見舞うため、飽浪葦垣宮《あくなみのあしがきのみや》に派遣した。推古天皇の命を受け、病状はどうか、何か悩みはないか、何か望みはないかと、厩戸皇子に尋

ねたところ、天皇のおかげで、悩みも望みもございません。ただ、私は羆凝村に仏教修行の道場を建てました。この道場を先代・現在・未来の天皇のために祈願する大寺にしたいと願っています。この願いを叶えていただければ幸いです、との返事があった。推古天皇は、この復命を受ける。その三日後、田村皇子は個人的に飽浪宮をたずね、上宮皇子を見舞う。上宮皇子は大変喜び、何か差し上げたいが、財物は亡くなりやすく永く保つものではない。三宝の法こそが絶対不変なので、熊凝寺を貴方に差し上げたい。と田村皇子に告げる。皇子は喜び、先代・現在・未来の天皇のために、末永くこの寺を伝え、妻子を率いて工事を達成し、三宝を興し、皇室が無窮であることを誓う。

熊凝寺は摂津国、難波宮西方の上町台地に所在したとする説もありますが、飽波（浪）宮があった大和国平群郡《へぐり》の額田寺《ぬかたでら》にあてる説が有力です。縁起と同じ由緒を記載した『扶桑略記』推古天皇二九年条は「平群郡の熊凝精舎を大伽藍にした。今の大安寺がこれに該当する（以平群郡熊凝精舎成大伽藍。今謂大安寺是也）」と明記します。額田寺に関しては「額田寺伽藍并条里図」がありますが、そこに描かれた額田寺伽藍（図1）は八世紀中葉以降の姿です。出土瓦には厩戸皇子（聖徳太子）の時代の瓦を含みますが（図2）、額田寺が大安寺の起源となった積極的な証拠はありません。大安寺造営に功績があった道慈が額田氏出身なので、額田寺を熊凝寺に詭詐したとする説もありますが冤罪です。のちに、聖徳太子や行基菩薩に起源を求め、権威を高めようとした寺は数多いので、大安寺も聖徳太子信仰の隆盛を踏まえて、熊凝寺起源説を主張したとすれば、その初現例となります。

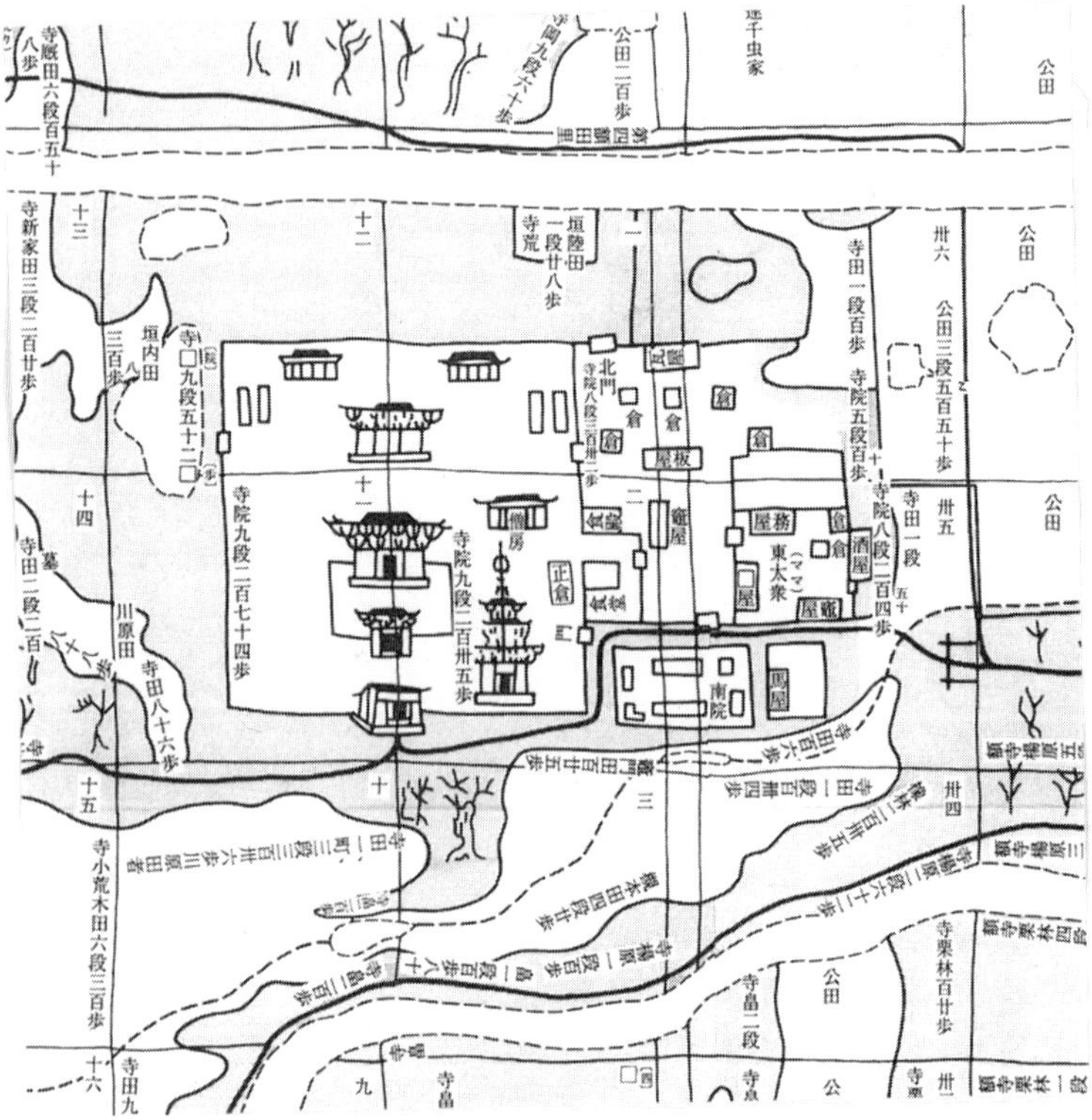

図1　8世紀中葉の額田寺伽藍［国立歴史民俗博物館 2001］

『大安寺資財帳』には舒明天皇由来の幢幡(組大灌頂)や食封・水田が登録され、百済大寺(吉備池廃寺)が大安寺の前々身寺院とする縁起を裏づける。しかし、熊凝寺(熊凝道場)に由来する文物は皆無で、寺の起源を聖徳太子に求める数多い縁起譚の初現となる可能性がある。額田寺＝熊凝寺なら、7世紀後半の法隆寺式軒瓦(図2-5～8)が多いことが再建法隆寺との関係を示すが、創建の素弁六葉蓮花文軒丸瓦(図2-1)は額田寺独特で、1点出土した手彫唐草文軒平瓦(図2-3)が創建法隆寺(若草伽藍)との関係を窺わせる。「額田寺伽藍并条里図」が描く額田寺の伽藍地は、金堂と中門を結ぶ回廊外の東側に塔を置く興福寺式で、8世紀中葉の国分僧寺に多い伽藍配置と共通し、額田寺でもっとも多い軒瓦(図2-12～14)の年代に合致する。

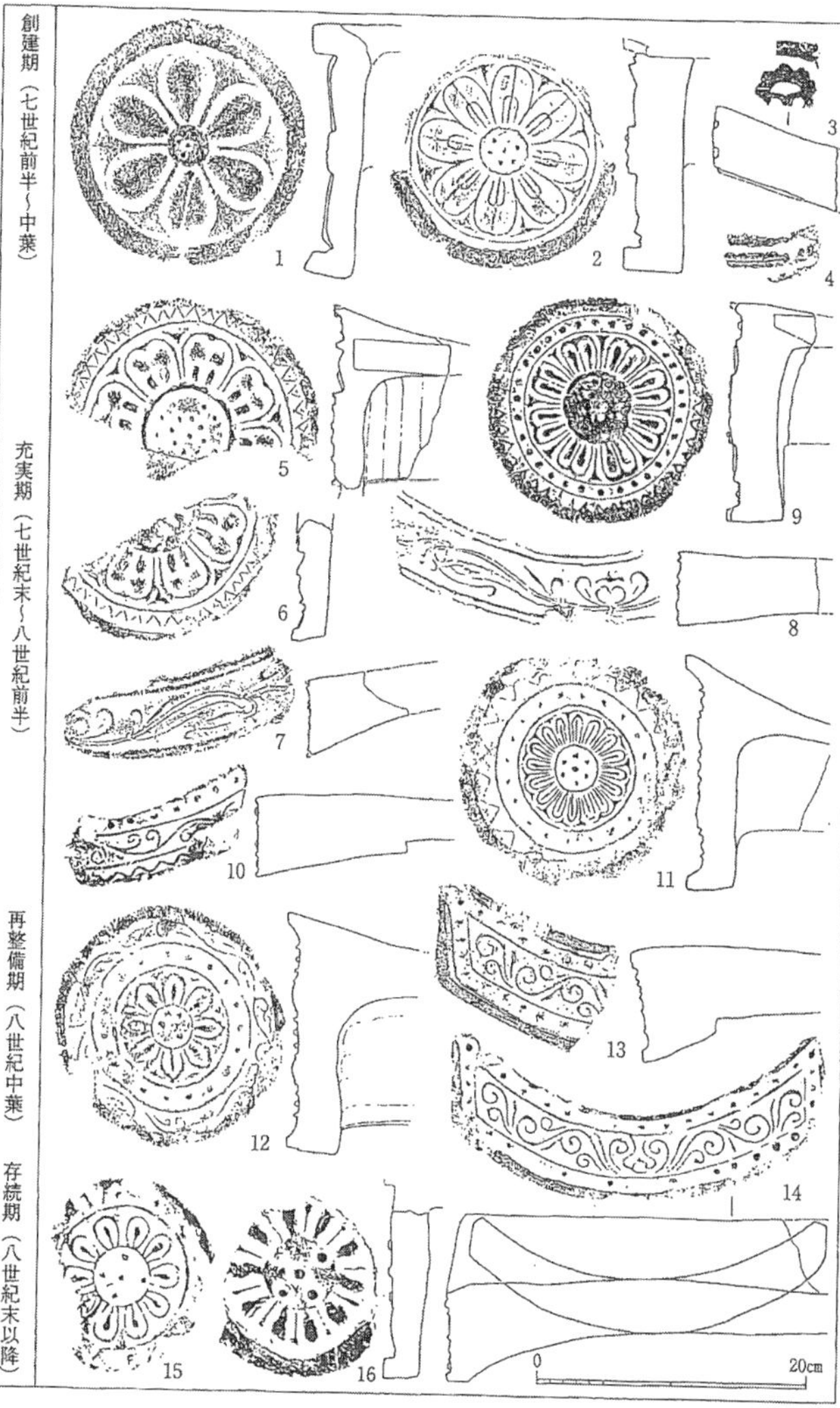

図２ 額田寺跡出土軒瓦の変遷［上原 2014］

（22~39行）後時　天皇臨崩日之、召田村皇子遺詔、皇孫　朕病篤矣、今汝登極位、授奉宝位、与上宮皇子譲　朕羆凝寺、亦於汝毛授祁利、此寺後世流伝勅支仍即　天皇位十一年歳次巳亥春二月、於百済川側、子部社乎切排而、院寺家建九重塔、入賜三百戸封、号曰百済大寺。此時社神怨而失火、焼破九重塔並金堂石鴟尾、天皇将崩賜時、勅太后尊久、此寺如意造建、此事為事給耳。爾時後岡基宮御宇　天皇、造此寺司阿部倉橋麻呂、穂積百足二人任賜。以後　天皇行車筑志朝倉宮、将崩賜時、甚痛憂勅久、此寺授誰参来止、先帝待問賜者、如何答申止憂賜支。爾時近江宮御宇　天皇奏久開伊髻墨刺乎刺、肩負鉏、腰刺斧奉為奏支、仲天皇奏久妾毛我妹等、炊女而奉造止奏支、爾時手柏慶賜而崩賜之

（意訳）後に、推古天皇は崩御時に田村皇子を召し、皇孫よ私の病は重いので、汝が皇位に就きなさい。皇位とともに、上宮皇子が私に譲った熊凝寺も汝に授けるので、この寺を後世に伝えるように、と遺言する。皇位を継いだ舒明天皇は、十一（六三九）年二月に百済川の側で、子部《こべ》社の木を切り九重塔を建て、三〇〇戸の封戸を施入し、百済大寺と名づける。しかし、子部社の神の怒りで失火。百済大寺の九重塔と金堂の石鴟尾《いしのしび》が焼け落ちてしまう。崩御（六四一年）に際し、舒明天皇は皇后にこの寺を思うがままに造建することのみを遺言する。皇后は皇極天皇となって、寺の造営を阿倍倉橋麻呂《あべのくらはしまろ》と穂積百足《ほづみのももたり》に命じる。その後、天皇は筑紫朝倉宮（朝鮮出兵の拠点）に行車し、崩御（六六一年）に際し、この寺の行く末を誰に託すか、あの世で待っている先帝に問われたら何と答えるかと痛憂する。この時、天智

天皇が、髻を開いて（ぼさぼさの髪で）墨を刺し、大斧《まさかり》を担ぎ、手斧《ちょうな》を腰に差して工事を推進すると奏し、仲天皇（天智妃で古人大兄皇子の娘＝倭姫《やまとひめ》太后）が妾も妹等も炊女として造営工事を手伝うと奏したので、女帝は手を打って喜び、安堵して亡くなった。

百済大寺（吉備池廃寺）跡には被災痕跡はなく、舒明朝の被災記事は後述の文武朝大官大寺焼失を隠蔽するための捏造と考えられます［上原二〇一四］。着工から舒明天皇崩御までわずか二ヶ年なので、天皇が金堂・九重塔の竣工を見ることはなかったはずです。とすれば、実質、百済大寺の造営工事を進めたのは皇極女帝です。次章で述べるように、天智天皇が丈六即仏《じょうろくそくぶつ》（脱乾漆《だつかんしつ》釈迦如来坐像）を造立するまでは、皇極女帝が造った「霊鷲山《りょうじゅせん》繍仏《しゅうぶつ》図」が金堂本尊で、天智朝・聖武朝に造立され金堂に安置された脱乾漆仏群像も、その繍仏図を立体化したものだったことは、舒明天皇の意を受けて百済大寺の造営工事を推進したのが、皇極女帝だったことを示します。

百済大寺は、かつては藤原宮の東方、天香久山西麓にある都多本《つたもと》神社付近に推定されていました［和田一九六九・八四、山崎一九八三］。藤原宮内に「百済」の地名が残ることと、付近で採集された軒瓦が百済大寺所用瓦としてふさわしいことが、おもな根拠です。古式の山田寺式軒丸瓦（最近「百済大寺式軒丸瓦」と呼ぶ人もいますが、型式呼称の変更は研究史軽視に通じるので、私は採用しません）と、スタンプ式杏葉《ぎょうよう》唐草文軒平瓦および初現的重弧文軒平瓦との組み合わせは、桜井市にある吉備池付近でも出土し、百済大寺所用瓦の窯跡と考えられていました。しかし、発掘調査により吉備池の堤が、古代寺院の巨大な塔基壇と金堂基壇を再利用したことが判明（図3）。一躍、吉備池廃寺跡が百済大寺の有力候補地として定説化しました［奈文研二〇〇三］。

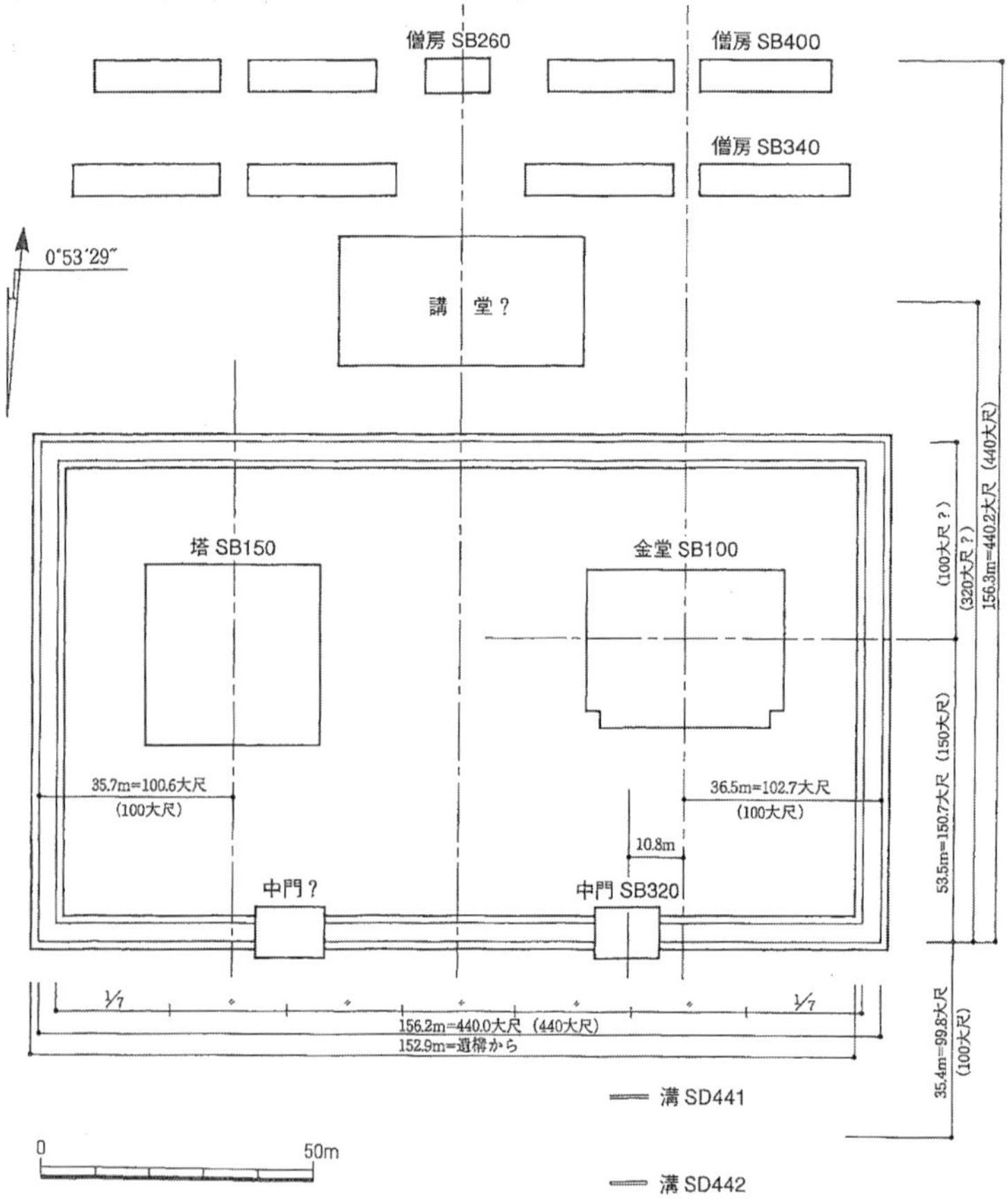

図3 吉備池廃寺（百済大寺）の伽藍配置図［奈文研 2003］

金堂・塔跡基壇は吉備池南堤として残ったが、講堂推定地は吉備池そのもので消滅した可能性が高い。しかし、池の北で複数の僧房跡を検出したので、講堂はあったはずだ。回廊内の東に金堂、西に塔を置く法隆寺式伽藍配置の初現例だが、金堂・塔に対応して中門が二つある。

講堂跡は不明ですが、複数の僧房跡も確認されたので、百済大寺は寺院としての体裁をほぼ整えていたことがわかります。

なお、山背大兄皇子の時に斑鳩寺《いかるがでら》（若草伽藍）に葺いた杏葉唐草文軒平瓦の文様スタンプを百済大寺所用軒平瓦に再利用したことは、熊凝寺が百済大寺の前身寺院であるとする縁起の根拠になったかもしれません。しかし、事実関係としては、百済大寺の造営に斑鳩地域の造瓦工人も動員されたことを示すと理解するのが穏当だと思います。

一方、都多本神社の南では、奈良国立文化財研究所飛鳥藤原宮跡発掘調査部の庁舎建設に先立つ発掘で問題の軒瓦がまとまって出土しましたが、顕著な寺院遺構はありませんでした［奈文研二〇一七］。しかし、金堂・塔基壇を調査したにもかかわらず、吉備池廃寺跡における瓦出土量は僅少で、次項で述べる高市大寺造営に再利用されたと考えられます。吉備池廃寺跡には被災痕跡はなく、瓦をはじめとする百済大寺の建物や資産の再利用は可能でした。とすれば、吉備池廃寺跡と同じ瓦がまとまって出土した都多本神社付近には、高市大寺に関わる遺構が存在すると思われます［木下二〇〇五］。

縁起読解・解説Ⅲ

百済大寺造営に天智天皇や倭姫が関与したことを縁起は示唆しますが、具体的な事績は明記しません。『扶桑略記』は、天智天皇七（六六八）年五月条の「勅造百済大寺、今大安寺也年月不慥」の記事に続けて、「彼寺記」を出典とする「別造丈六釈迦如仏像並脇侍菩薩等像。安置寺中」の霊験譚を引用します（次章参照）。『大安寺資財帳』も、丈六即像二具を天智造立と明記するので、天智朝が百済大寺の整備・充実期であったことは間違いありません。縁起が天智朝の評価に控えめなのは、壬申の乱（六七二年）で勝利した天武天皇即位後の高市大寺および大官大寺の造営を、大安寺前史として重視したためでしょう。

（39〜45行）以後飛鳥浄御原宮御宇　天皇二年歳次癸酉十二月壬午朔戊戌、造寺司小紫冠御野王、小錦下紀臣訶多麻呂二人任賜、自百済地移高市地。始院寺家入賜七百戸封、九百三十二町墾田地、卅万束論定出挙稲、六年歳次丁丑九月康申朔丙寅、改高市大寺号大官大寺

（意訳）天武天皇二（六七三）年一二月一七日、小紫冠《しょうしかん》御野王《みののおう》と小錦下《しょうきんげ》紀臣訶多麻呂《きのおみあたまろ》を造寺司（寺院造営工事担当の役所）の責任者に任命し、造営地を百済地から高市地に移し、七百戸の封戸と九百三十二町の墾田地、三十万束の論定出挙稲を院寺家に施入した。同六（六七七）年九月七日には高市大寺を改めて大官大寺と号した。

後の「古代寺院の呼称」項で述べるように、百済大寺は所在地名にもとづく和風寺号です。造営地が移動すると、百済大寺は呼称の根拠が消え、以後は高市大寺と呼ばれます。百済大寺は舒明天皇の発願から皇極・孝徳・斉明・天智朝に至る半世紀以上もの間、造営工事が続いたので、建物施設は充実していたはずです。吉備池廃寺跡の発掘成果は、この推測を裏づけます。一方、六七三年から高市大寺の造営が始まったとすれば、大官大寺に改称するまでわずか四年。主要堂塔のすべてが完成したとは思えません。しかし、吉備池廃寺跡の発掘成果で、百済大寺の堂塔は解体・移築されたと推定できます。主要堂塔を移築したなら、短期で高市大寺が完成した可能性

もあります。しかし、移築に際しては、丁寧に瓦を降ろし、木組を解体し、瓦や建築材を梱包・運搬し、別の場所で再度組み立てることになります。瓦の新調や建築材加工という手間が軽減されても、解体・梱包・運搬には、新築工事とは異なる慎重な作業が必要です。現在の「引家」のように、短時間で施設移転が可能なわけではありません。

たとえば、八世紀中葉の恭仁宮遷都時には、天平一二（七四〇）年末以降、平城宮第一次大極殿とそれを囲む築地回廊を解体・移築しました。その工事は天平一五（七四三）年末に一段落します（『続日本紀』）。少なくとも天平一三年・一四年の元日朝賀（新年の挨拶会）は大極殿でおこなっていないので、最優先工事である大極殿の移築・整備だけで一年以上費やしたのです。恭仁宮大極殿は桁行四四メートル×梁間一九・五メートルと巨大な建物で、移築に手間取ったと思われますが、吉備池廃寺の金堂基壇も三七メートル×二八メートルと平面規模は上まわります。さらに九重塔の解体・運搬・組立となると、金堂以上の手間がかかります。しかも、天武朝の政治中枢である飛鳥浄御原宮の造営は、先行する宮殿施設を一部再利用できたとしても、高市大寺造営より優先すべき工事だったはずです。大官大寺に改名する以前に高市大寺が完成したか疑問です。その間の事情について縁起の記事も曖昧ですが、高市郡明日香村小山と橿原市南浦町に所在する大官大寺跡が（図4）、発掘調査で文武朝創建と判明した事実を踏まえると、大安寺前史となる大官大寺の呼称に混乱が生じるおそれがあります。以下、木下正史さんに倣って、百済大寺を移築した高市大寺を天武朝大官大寺、文武天皇が創建した大官大寺を文武朝大官大寺と呼んで区別します［木下二〇〇五］。

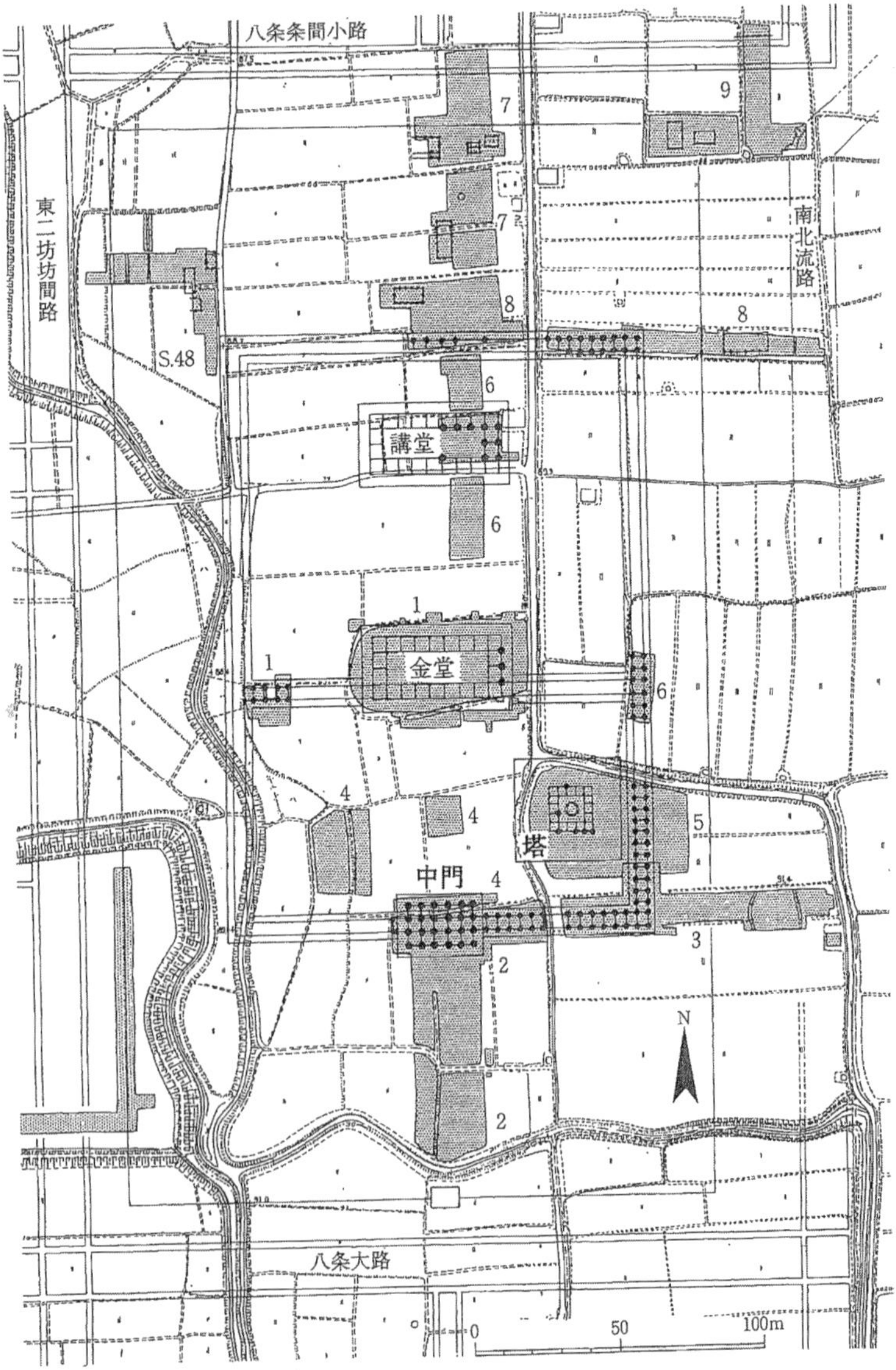
八条条間小路
東二坊坊間路
南北流路
講堂
金堂
塔
中門
S.48
八条大路
1
2
3
4
5
6
7
8
9
N
0
50
100m

『日本書紀』天武天皇二年一二月一七日条にも、小紫美濃王と小錦下紀臣訶多麻呂を造高市大寺司に任じた記事があり、高市大寺には「今大官大寺是」の注記があります。ただし、『日本書紀』は、勅により大官大寺に七〇〇戸を封じ、税三〇万束を納めたのは、朱鳥元（六八六）年五月一四日のこととします。一方、『大安寺資財帳』は、食封一〇〇〇戸のうち七〇〇戸、遠江・駿河・伊豆・甲斐・相模・常陸等国の論定出挙本稲三〇万束、紀伊・若狭・伊勢国の墾田九三二町は、いずれも「飛鳥浄御原宮御宇 天皇、歳次癸酉、納賜」と注記し、天武天皇二年の事績とする点は『日本書紀』と異なっても、資財帳としての記載内容は一貫しています。しかし、天武朝末期から持統・文武朝に至る縁起45〜54行の記述内容には、正史と齟齬する点があります。

十三年　天皇寝膳不安、是時、東宮草壁太子尊奉　勅、率親
王諸王諸臣百官人等天下公民、誓願賜久、大寺営造近今三年
天皇大御寿、然則大御寿更三年大坐坐支。以後藤原宮御宇
天皇朝庭爾、寺主恵勢法師乎令鋳鐘之。亦後藤原朝庭御宇
天皇、九重塔立金堂作建、並丈六像敬奉造之。次平城宮御宇

図4 発掘された文武朝大官大寺跡［飛鳥資料館 1985 に手を加えた］
（アミは発掘区、数字は調査次数を示し、条坊呼称は平城京に準拠した）
金堂跡の字名がコウドウだったことから、発掘する以前には、回廊内の西に金堂、東に塔を置く法起寺式あるいは川原寺式伽藍配置の寺と考えられていた。しかし、４次調査区で何も出ず、金堂背後で講堂跡が検出され（６次調査）、回廊内の東に塔のみを置く大官大寺式伽藍配置が確定した。造営途上で焼失していることから、西にも塔を建てる双塔伽藍（薬師寺式）で計画されたとする説もある。しかし、建設資材を東の南北流路（運河）から搬入したとすれば、西塔の造営が先行するはずで、東塔が竣工間近だった事実は、西塔造営を意図していなかった証拠となる。また、近似した伽藍配置の国分僧寺が少なくないことから、大官大寺式が古代寺院の伽藍配置における一類型となることは間違いない。

天皇天平十六年歳次甲申六月十七日、九百九十四町墾地入賜支

（意訳）天武天皇十三（六八四）年、天武天皇の健康が悪化した時、皇太子＝草壁皇子が勅により親王・諸王・諸臣・百官人など天下の公民を率いて大寺を造営し、天皇の大御寿を今三年延ばすよう誓願する。三年の延命がかなった後、持統天皇が寺主恵勢法師に鐘を鋳造させ、孫の文武天皇の時に九重塔と金堂を建て、丈六像を造った。次の聖武天皇天平十六（七四四）年六月一七日には、九九四町の墾田を施入した。

天武天皇の病気に際し、大官大寺・川原寺・飛鳥寺に稲を納めて誦経した記事は、『日本書紀』天武天皇一四年九月二四日条にありますが、それ以前の天皇は精力的に政務をこなしています。新たな都城建設に向けての視察［『同』一三年三月九日条］、広瀬行幸［同年七月四日条］、飛鳥寺行幸［一四年五月五日条］、浄土寺（山田寺）行幸［同年八月一二日条］など外出も頻繁で、草壁皇子が親王・諸王・諸臣・百官を率いて天武天皇の延命を誓願する余地はありません。『扶桑略記』にも縁起と同じ記事がありますが、「大安寺記」からの引用とします。「大安寺記」に関しては、寛平七（八九五）七月の年紀がある京都大学所蔵「大安寺縁起」（京都大学貴重資料デジタルアーカイブ、以下、福山敏男さんに倣い『寛平縁起』と呼称［福山一九三六］）にも同じ記事があるので、『大安寺資財帳』をさすとは限りません。いずれにしても、天武天皇一三年に草壁皇子の出番がないなら、『大安寺資財帳』の縁起は、大安寺前史を皇極→天武→草壁→文武ルートで説明するために挿入したことになります。前項で述べた天智朝の評価が控えめな事実と表裏一体です。

縁起解説Ｖ――天武朝大官大寺と文武朝大官大寺の区別

『大安寺資財帳』が登録する資産には、舒明・皇極・天智・天武・持統・元明・元正・聖武に由来する寺領や品物はあっても、文武天皇に由来するものはなく、草壁皇子に由来するものには77〜79行「繍菩薩像一帳　右以丙戌年七月、奉為浄御原宮御宇　天皇、皇后并皇太子、奉造請坐者」があるにすぎません。すなわち、崩御の二ヶ月前に、天武天皇のために皇后（持統）と皇太子（草壁皇子）が造った観世音菩薩繍仏です。『日本書紀』朱鳥元（六八六）年七月の「是月、諸王臣等、為天皇、造観世音像。則説観世音経於大官大寺」の記事に対応します。次項で述べるように、『大安寺資財帳』に文武天皇に由来するものが皆無なのが、文武朝大官大寺が大火災に見舞われた結果なら、草壁皇子に由来する観世音菩薩繍仏が大安寺に残っているのは、天武朝大官大寺から大安寺に直接もたらされた結果と考えられます。つまり、朱鳥元年時点の大官大寺は、天武朝大官大寺（高市大寺）を指すのです。

縁起は天武朝大官大寺と文武朝大官大寺を明確に区別しません。現在、国史跡となっている大官大寺跡（図４）の回廊内西北部で検出した創建以前の南北溝から飛鳥Ⅳ期すなわち藤原宮期の土器が出土したことで、同寺は天武朝までさかのぼらず、持統・文武朝に創建されたことが判明しました［奈文研一九七八］。大官大寺式軒平瓦が藤原宮式軒平瓦と文様系譜が断絶し、平城宮式軒平瓦や興福寺式軒平瓦の先行型式となる事実は、大官大寺造営が藤原宮造営以後、平城宮造営以前の工事であることを示し、上記の年代観はさらに限定できます。大官大寺所用瓦はすべて新調で、前身寺院の再利用瓦はありません。建築材もすべて新調だったと理解できます。ということは、縁起が説く天武朝における百済大寺→高市大寺→大官大寺の施設すなわち天武朝大官大寺は、文武朝大官大寺建設中も健在だったことになります。これにより『大安寺資財帳』に登録された舒明朝から持統朝に至るまでの文物は、基本的に天武朝大官大寺から直接大安寺へ運ばれたと推測できます。

なお、持統天皇が恵勢法師に鐘を鋳造させた記事に関しては、文脈から文武朝大官大寺に関わる事業と思っていましたが、『扶桑略記』持統天皇六（六九二）年九月に「大官大寺に資財や奴婢など色々施入した。古い梵鐘を作り直すため、銅数千斤を加えて新鋳した（大官大寺資財奴婢種々施入。改旧洪鐘、加調銅数千斤、新鋳之）」とあるので、天武朝大官大寺の梵鐘を改鋳したことがわかります。年紀を欠きますが、持統朝の梵鐘新鋳記事は『寛平縁起』にもあります。つまり、持統朝には天武朝大官大寺を積極的に維持管理しており、新たな大官大寺の造営は、基本的に文武朝に始まったことになります。大官大寺式軒瓦の年代観も、これと矛盾しません。鐘を吊す鐘楼は、講堂・僧房など僧地を構成する建物の一つですから、金堂・塔などの仏地を含め、六九二年前後には、着工から二〇年近くを経た天武朝大官大寺は、細部の修理や改造に配慮する状況だったのです。当然、文武朝大官大寺造営工事が始まるのは、これ以後、六九〇年代の半ば前後となります。

縁起解説Ⅵ――文武朝大官大寺の造営経緯

文武朝大官大寺の建設工事については、『続日本紀』大宝元（七〇一）年七月二七日条「大政官処分、造宮官准職、造大安・薬師二寺官准寮、造塔・丈六二官准司焉」の記事が注目されます。これまで一律に「官」と呼んでいた造営担当官司を、職・寮・司にランクづけたのです。すなわち、文武朝大官大寺造営の中枢機関は「造大安寺寮」、その配下で大官大寺九重塔の造営を担当するのは「造塔司」、同じく丈六仏をつくるのは「造丈六司」と呼ばれたと考えられます。ただし、八世紀中葉の東大寺造営組織は、造東大寺司が率いる造仏所・造瓦所・鋳（鐘）所などの工房からなり、別の寺である石山寺造営組織も造東大寺司の配下にあって造石山院所を名のり、寮―司でランクづけていません。八世紀初頭における造営組織の呼称については、手工業関係木簡の発見と検討が期待されますが、平城京で大安寺や薬師寺の造営組織を「造〇〇寺寮」と呼んだ形跡はありません。いずれにせよ、大宝元年七月の太政官処分と、以下に述べる国史跡大官大寺跡の発掘成果から、文武朝大官大寺は七〇一年には金堂や講堂の造営が一段落し、九重塔や丈六仏の造営が進行中だったことがわかります。

『大安寺資財帳』の縁起には書かれていませんが、発掘の結果、文武朝大官大寺は造営工事中に大火災に見舞われたことが判明しました。すなわち、凝灰岩切石による基壇化粧痕跡から判断して金堂は竣工していましたが、激しい火災で屋根の垂木が落下し、地面に突き刺さりくすぶった状態で発掘されました。九重塔跡は基壇周囲が約二五度の傾斜をなして立ち上がり、その傾斜面に多量の焼土・焼瓦が堆積し、焼土中から風鐸《ふうたく》部品などが出土しました。つまり、塔本体はほぼ完成し、基壇化粧には未着手だったことになります。中門は礎石抜取痕跡と建物外周の足場穴を検出し、基壇の南に建築部材の落下が認められることから、建物の外装工事中に焼失したと推測されます。また、礎石の一部が残っていた回廊は、滑り落ちた状態の屋根瓦が出土する一方で、軒丸瓦が著しく少ないなどの不均衡があることから、瓦を葺いている最中に大火災に見舞われたと考えられます。講堂は著しく削平されていましたが、基壇化粧の痕跡が認められることから、金堂と同様、ほぼ完成していたようです［飛鳥資料館一九八五］。

縁起解説Ⅶ――文武朝大官大寺の焼亡年代

『大安寺資財帳』の縁起も正史『続日本紀』も、この大火災を無視します。七四七年「法隆寺伽藍縁起并流記資財帳」が斑鳩寺（若草伽藍）焼失を無視するのと同じですが、斑鳩寺焼失は正史が記録します［『日本書紀』天智天皇八年是冬条、同九年四月三〇日条］。大官大寺焼失に関しては、『扶桑略記』元明天皇和銅四（七一一）年辛亥条に「大官等寺並藤原宮焼亡」の記事があります。『扶桑略記』独自の記事です。ただし、同書和銅三年条に「移立大官大寺於平城京」の記事があるので、史書としての一貫性を求めると、焼けたのは平城京の大官大寺（大安寺）だったことになります。しかし、『扶桑略記』の記事は各書・各記録からの寄せ集めなので、和銅三年記事と和銅四年記事が矛盾しても問題ないでしょう。むしろ、正史にない記事を多く集めている利点を生かし、発掘成果や『大安寺資財帳』に登録された品々の由来と矛盾しない形で、記事の採否を考えたいと思います。以上、『扶桑略記』『続日本紀』の記事も勘案すると、文武朝大官大寺の造営工事は六九〇年代半ばに始まり、七〇一年以前に金堂・講堂が竣工し、九重塔造営や丈六仏造立に向けて造営官司を再編し、七一一年に完成間近で焼亡したことになります。

文武朝における九重塔・金堂・丈六仏の造営・造像記事に続き、聖武天皇の天平一六（七四四）年六月に、九九四町の墾田地を施入した記事があり、『大安寺資財帳』の縁起は唐突に終わります。唐突と感じるのは、文武朝の造営工事は藤原京の時代、聖武朝の墾田地施入は平城京の時代の出来事で、この間の藤原京の大官大寺から平城京の大安寺に移転した事実を明記しないからです。大安寺の縁起なのに、肝心な部分が抜けているのです。

縁起に記された寺々

以上、『大安寺資財帳』の縁起には、大安寺の歴史に関わる寺として、熊凝寺、百済大寺、高市大寺、大官大寺が挙げられています。箇条書きにすると、以下のとおりです。

（1）聖徳太子が羆凝村に建てた道場＝熊凝寺を天皇家の大寺にしたいと願い、後事を田村皇子＝舒明天皇に託した。

（2）舒明天皇は百済川の側に九重塔を建て、三〇〇戸の封戸を施入して百済大寺としたが、子部社の怒りで失火。九重塔と金堂石鴟尾が焼破して、後事を皇后＝皇極天皇に託した。

（3）皇極（斉明）天皇は、阿倍倉橋麻呂と穂積百足に百済大寺を造営させたが完成せず、後事を天智天皇と仲天皇（倭姫）に託した。

（4）天武天皇は御野王と紀臣訶多麻呂寺の二人を造寺司に任じ、寺院造営地を百済から高市に移し（高市大寺）、七〇〇の封戸、九三二町の墾田、三〇万束の論定出挙を施入した。六七七年には高市大寺の名を大官大寺に改めた。

（5）持統天皇は寺主恵勢に鐘を鋳造させ（ここまでが天武朝大官大寺の事業）、文武天皇は九重塔と金堂を建て丈六像を造った（文武朝大官大寺の事業）。

（6）聖武天皇は九九四町の墾田地を施入した。

つまり、聖徳太子の意向を受け、舒明・皇極（斉明）・天智・天武・持統・文武・聖武の各天皇が、意志を曲げずに造営に尽力した寺が、百済大寺・高市大寺・大官大寺なのです。しかし、『大安寺資財帳』なのに「大安寺」の名がありません。百済川近くの百済大寺や、高市の地に造営した高市大寺（天武朝大官大寺）は、大安寺と別の場所にある別の建物施設ですから説明が必要です。当然、平城京の大安寺へ移転した経緯も説明すべきです。しかも、百済大寺・高市大寺・大官大寺の寺名創始について述べているので、大安寺という寺名のはじまりについても一言あるべきなのに、それもありません。

『大安寺資財帳』なのに、大安寺の成立を明記しない事実は前著でも指摘しましたが、その理由はわかりませんでした。本章では、他の古代寺院を参照しつつ、寺院呼称、寺院条件、寺院呼称の意義、寺院呼称の決定経緯などを検討し、解決の糸口を探ってみます。

古代寺院の呼称

古代寺院の呼称には、飛鳥寺・斑鳩寺・秦寺《はたでら》（大秦寺《うずまさでら》）・東寺など、地名や氏族名あるいは地理的位置関係にもとづく呼称＝和風寺号と、四天王寺・法興寺・法隆寺・安国寺など仏像の名前や仏教に関わる漢語あるいは由緒ある漢語にもとづく呼称＝漢風寺号（法号）とがあります。郡評名や郷名にもとづく地名寺院は白鳳時代に顕著な和風寺号の寺院、平安時代以降に顕著な延暦寺・仁和寺・建仁寺などの元号寺院は、漢風寺号の寺院に含めます。「令和」は『万葉集』を根拠にした和風元号と言われますが、一般的に元号は由緒ある漢語にもとづくからです。飛鳥寺＝法興寺、斑鳩寺＝法隆寺、秦寺＝広隆寺、東寺＝教王護国寺のように、地名や氏族名に由来する和風寺号の寺院は、漢風寺号を合わせ持ちます。ただし、元号寺院や四天王寺・薬師寺などの漢風寺号寺院は、和風寺号を合わせ持つとは限りません。とくに、平城京で成立した都城付属寺院以後は、土地や氏族との結びつきが弱く、地名・氏族名に由来する和風寺号を持たない例が多くなります。たとえば、平城京興福寺は前身寺院に由来する山階寺・厩坂寺《うまさかでら》の和風寺号を使うこともありますが、元興寺は前身寺院に由来する飛鳥寺を名のることはありません。

中世以後、瑞龍山南禅寺、黄檗山万福寺、東叡山寛永寺のように、山号＋法号の寺院呼称が一般化します。浄土寺・阿弥陀寺など、どこにもある法号寺院を区別するため、地名を付した中国起源の呼称と言われますが、実際の山や地名がなくても山号＋法号の寺院呼称は少なくありません。しかし、古代日本にも志賀山寺（＝崇福寺）のような地名による山寺は多いので、比叡山延暦寺、高野山金剛峯寺などの山号＋法号による寺院呼称は、古代寺院の和風寺号と漢風寺号を合わせ持つ寺院に由来すると理解できます。

大安寺前身寺院の寺号

縁起で大安寺の前身とされた熊凝寺、百済大寺、高市大寺は、地名にもとづく和風寺号で、大寺は規模が大きいことを表す普通名詞です。天武天皇九（六八〇）年四月是月条の勅で、諸寺を国大寺（官営の大寺）と非官営寺院に大別し、非官営寺院を、三〇年を限度として食封を許可する寺院と、それ以外の寺院に細分します（凡諸寺者、自今以後、除為国大寺二三、以外官司莫治。唯其有食封者、先後限三十年。若数年満三十則除之）［『日本書紀』］。これを根拠に「大寺制」という寺院制度を主張する意見もありますが、この勅令は官費で経営・維持するか否かを分類基準にしており、寺院規模は基準ではありません。

一方、地名を欠く大官大寺は、官大寺（国大寺）のなかでも、とくに大規模であることを表す普通名詞です。大官大寺を法号とする意見もありますが、仏法の興隆や国の安泰を祈願する法隆寺・安国寺・護国寺などの寺名や、仏典や仏像名にもとづく般若寺・薬師寺などの寺名との違いは明白です。大官大寺という寺名で重要なのは、前身の百済大寺・高市大寺と異なり地名を含まない点です。つまり、大官大寺という寺名に改称することは、百済の地、高市の地に所在するという桎梏からのがれることでした。

なお、天武天皇九年四月の寺院大別に先立ち、食封を有する寺の由来を調べ、その加除を審査します（詔曰、商量諸有食封寺所由、而可加々之、可除々之）［『日本書紀』天武天皇八年四月五日条］。この日に諸寺名を定めたとあるので、この時に漢風寺号（法号）が成立したとする意見もあります［福山一九三四］。しかし、漢風寺号は中国大陸や朝鮮半島の古代寺院でも使われ、その寺院制度に倣った日本でも、仏教寺院が作られるようになった当初からあったと考えたほうがよいでしょう。

古代寺院の正式呼称は、むしろ漢風寺号です。東大寺は平城宮を中心とした位置関係にもとづく和風寺号、すなわち「ひがしのおおでら」が一般に通用しています。ただし、東大寺寺額には「金光明四天王護国之寺」（西大門にあった額）、「大華厳寺」（南大門の現存額）とあります。一般になじみがなくても、漢風寺号（法号）が正式呼称なのです。古代寺院において、寺額に書かれた寺名に重要な意味があることは後述します。

「大安寺」名の成立Ⅰ

百済大寺・高市大寺の名が地名に由来するのに対し、大安寺は漢風寺号（法号）です。『大安寺資財帳』は由来を記しませんが、『扶桑略記』天平一七年条には「同年、改大官大寺名大安寺。天下大平、万民安楽之義也。俗曰南大寺」とあります。つまり、天下「大」平、万民「安」楽の願いを込め、「大安寺」と名づけたというのです。『寛平縁起』は同じく天平一七年に大官大寺を大安寺に改めたのは「天下太平安楽之義也」とします。それでは「太安寺」になってしまいます。俗名である南大寺は、東大寺や西大寺に対する呼称です。しかし、東大寺大仏御座の土を聖武天皇が御袖に入れ運び、続いて氏々諸人が土を運んで御座を堅く築いたのは、天平一七年八月二三日（『扶桑略記』）。東大寺や西大寺に対する南大寺の俗称が成立するのは、もっと後のことです。『扶桑略記』や『寛平縁起』によれば、大官大寺を大安寺に改めたのは『大安寺資財帳』成立のわずか二年前です。平城に還都し、大仏造営の場所を決定した年なので、平城京諸寺の再編に向けて「大安寺」名を採用したのかもしれません。しかし、その改訂を『大安寺資財帳』が記録しないのは不可解です。『扶桑略記』の記事は後付けの説明のように思えます。漢風寺号と和風寺号は併存するので、大安寺という法号はもっと前からあり、天平一七年以後、大安寺呼称が一般化した可能性もあります。「正倉院文書では、天平十年（七三八年）以前には、大安寺と呼ばずに＜大寺＞、あるいは大官大寺を略した＜大官寺＞と書かれてい」るので「大安寺と呼ばれるようになったのは、天平十年頃からだとみる」説もあります［森下二〇一六］。しかし、正倉院文書では、天平感宝元（七四九）年や天平勝宝三（七五一）年になっても、大安寺を「大寺」と記載しています［福山一九三六］。「大寺」「大官寺」と「大安寺」は共存する呼称で、正倉院文書では大安寺名の成立年代は決まりません。地方行政区が大宝令以前は「評」だったと判明したように、「大安寺」と記した木簡が出土すれば、呼称の初現がわかるかもしれませんが、評から郡への変遷は制度改訂なのに、寺名の変遷はむしろ習慣の問題で同じ次元の話ではありません。

一方、『続日本紀』は、藤原京にあった文武朝大官大寺を含め「大安寺」で統一します。すなわち、大宝元（七〇一）年六月一日「正七位下道君首名をして、大安寺に僧尼令を説かしむ」とあり、僧尼が遵守すべき法令＝『僧尼令』の説明会場として大安寺の名が初めて現れます。『僧尼令』はできたての法律で、律令政府は関係者への説明責任を果したのです。平城京で大安寺名が成立したと考える立場では、『続日本紀』の編者が前身寺院を含めて寺名を「大安寺」に統一したと理解します。しかし、『続日本紀』同年七月「太政官処分」には「造大安・薬師二寺官准寮、造塔・丈六二官准司」とあります。編纂物である正史が、後世の知識で用語を統一することはありますが、『続日本紀』の「太政官処分」は法令引用記事です。編纂物でも、引用記事は原文を尊重することがあるので、前著では大安寺の名は大宝元年、すなわち藤原京の時に成立していた可能性を指摘しました。

『大安寺資財帳』は、天武朝に建てられた高市大寺が、六七七年に大官大寺と名を変えたと記します。しかし、国史跡大官大寺跡は、文武天皇の時代に造営が始まった寺院です。『大安寺資財帳』は、文武朝に造営を開始した塔・金堂の寺院名を明記していません。不審に思わずに読み流すと、天武朝大官大寺と同じ場所で、文武朝の塔・金堂の造営が始まったように見えますが、両者は別の場所にありました。しかも、天武朝大官大寺は、文武朝にも存続していたのです。

「大安寺」名の成立Ⅱ

天武朝大官大寺（高市大寺）に関しては、明日香村小山廃寺（紀寺跡）、橿原市木之本廃寺、明日香村雷丘北方遺跡などを当てる説がありますが、瓦で判断する限り木之本廃寺が有力です［木下二〇〇五、上原二〇一四］。いずれにしても、国史跡となっている文武朝大官大寺跡の近くの藤原京内に、前身寺院である天武朝大官大寺（高市大寺）が別にあったはずです。しかし、造営途上で焼失した文武朝大官大寺は、中心伽藍を最新型式の瓦で統一して工事を進めており、天武朝大官大寺の建物施設を移転した形跡はありません。また、『大安寺資財帳』が登録する仏像などに、文武天皇に由来する文物は皆無です。文武朝大官大寺の資財は、造営途上で建物もろとも焼失したのです。ところが、大安寺金堂本尊の丈六即像をはじめとする仏像には、舒明朝百済大寺あるいは天武朝大官大寺に起源するものが含まれています。つまり、藤原京内には祖父が建てた天武朝大官大寺（高市大寺）と文武朝大官大寺が併存したのです［三好二〇〇二、木下二〇〇五］。

しかし、同じ都京内に同じ名前の官大寺が二つあったとは思えません。文武朝大官大寺が完成した時、天武朝大官大寺名を継承する計画だったのかもしれません。しかし、天武朝大官大寺の建物施設を文武朝大官大寺に転用した形跡がない以上、二つの大官大寺は別の寺として併存したのです。大宝元年以後、『続日本紀』が寺名を「大安寺」で統一したのは、単なる編者の用語統一ではなく、天武朝大官大寺を継承しても、別の寺すなわち「大安寺」として計画された可能性もあると前著では考えました。ただし、未竣工の文武朝大官大寺が、まだ正式の寺でなかったとすれば、祖父の大官大寺名を継承するまで、寺名は未定で、藤原京内に大官大寺が二つあったと考える必要はないかもしれません。

一方、正史『日本書紀』には大安寺の名はなく、『大安寺資財帳』の記述とほぼ対応して、百済大寺（百済寺）・高市大寺・大官大寺の名を使い分けています。とくに、天武天皇二（六七三）年一二月一七日条では「小紫美濃王、小錦下紀臣訶多麻呂、拝造高市大寺司今大官大寺是」とあり、造寺司という八世紀の造営官司名を使いながら、高市大寺は今の（大安寺ではなく）大官大寺に相当すると注記します。編纂時に「今大安寺是」と注記できなかったとすれば、大安寺という寺名が一般に知られるようになるのは『日本書紀』が成立した養老四（七二〇）年以後と考えることもできます。しかし、それから四半世紀強を経て作られた『大安寺資財帳』でも、「大安寺」名成立の契機や平城京への大官大寺移転についての記載は曖昧なままです。それが曖昧なのは、寺が正式の寺として公認される条件と、正式の寺名を決める手続きに関わるかもしれません。

寺院の条件

古代寺院の多く、とくに八世紀初頭までに成立した飛鳥・白鳳寺院は、かつて古墳を築造していた豪族が、新時代にマッチする権威の象徴を寺に求めた結果と考えられています。44頁で述べた天武天皇九年の寺院分類では、非官営（官司莫治）寺院に該当します。一方、寺院造営がピークを迎える七世紀後半は律令制成立期で、これまで豪族が直接あるいは間接に所有していた水田やその耕作者を「公地公民」として、国家が直接所有する体制が確立します。しかし、「公地公民」の原則下でも、寺院は土地・奴婢の所有が認められていました。七世紀後半をピークとする氏寺造営は「地方在地豪族が、律令体制の完備してゆくなかにあって、従来自分たちの支配下にあった経済的な基盤を、公にするのをのがれるために、土地・奴婢の所有が認められている寺に振替えるかたちで、公収をまぬがれる口実にした」［間壁一九七〇］結果と考えられます。

それでは、どんな条件が整えば、寺として土地や奴婢を所有することが認められたのでしょうか。寺の概念は時代によって変化します。五九四年の三宝興隆の詔を受け、皆が君親之恩のために競って仏舎を作った時は、仏像を安置する建物が寺そのものでした（諸臣連等、各為君親之恩、競造仏舎。即是謂寺焉）［『日本書紀』推古天皇二年二月条］。しかし、六八五年に諸国の家ごとに仏舎を作らせた時の礼拝供養の対象は、仏像と経典です（詔、諸国毎家、作仏舎、乃置仏像及経、以礼拝供養）［『同』天武天皇一四年三月二七日条］。考古学では、瓦葺礎石建物による七堂伽藍を古代寺院の認定基準としますが、『日本書紀』では建物構造や施設の充実度はさほど重要な条件ではありません。六九二年には全国五四五ヶ寺の存在を認め、寺ごとに千束の稲を灯明料として施入します（有勅令計天下諸寺。凡五百四十五寺。寺別施入燈分稲一千束）〔『扶桑略記』持統天皇六年九月条〕。寺と申告すれば、ただで稲千束をもらえたはずはないので、ここでも寺の公認基準があり、審査を経た「寺」が五四五ヶ寺あったと考えられます。少なくとも公地公民の原則に反する以上、律令国家は安易に氏寺を寺と公認しなかったはずです。

その公認基準は必ずしも明確ではありませんが、七世紀後半〜八世紀初頭において審査合格を象徴したのが寺額（額題《がくだい》）と幡（幢幡《どうばん》）でした。霊亀二（七一六）年五月一五日詔は、各地で乱立・荒廃した寺院の合併、寺院の財物管理の強化を命じます。指摘された諸国寺家の荒廃とは、草葺の仏堂を建てて寺額を求め、僅かばかりの幢幡で仏を荘厳するだけで土地所有を主張する。また、僧房も修理せず牛馬が出入りして寺院地は荒廃し、茨が生い茂り、尊い仏像は塵をかぶり、経典類は風雨にさらされるという姿でした（或草堂始闢、争求額題、幢幡僅施、即訴田畝。或房舎不修、馬牛群聚、門庭荒廃、荊棘弥生、遂使無上尊像永蒙塵穢、甚深法蔵不免風雨）〔『続日本紀』〕。ここでは、寺の条件として仏像・経典以外に僧が居住する房舎（僧房）が加わり、公認の象徴的存在が額題と幢幡だったことがわかります。

寺院公認の象徴

前項で述べたように、古代寺院に必須の基本資産すなわち寺院公認の最低条件は、六世紀末なら仏像、七世紀後半なら仏像と経典、八世紀初頭なら仏像・経典・僧房と進化し、八世紀には三宝＝仏宝僧が出揃ったことになります。そして、霊亀二年五月の詔によれば、田畝所有を主張できる寺として公認されたことを象徴するのが、額題と幢幡でした。

額題＝寺額には、普通、寺名を記します。後世の例ですが、後白河天皇の皇后（建春門院《けんしゅんもんいん》）が法住寺南殿の隣に建てた「最勝光院《さいしょうこういん》」は、承安二（一一七二）年一〇月の供養時に、九条兼実《くじょうかねざね》の揮毫による門額を懸けた時に初めて寺名が公開され、それ以前は「新御堂」と呼ばれていました［『玉葉』］。寺名がいつ決まるのか、寺によって異なりますが、飛鳥白鳳寺院が争って額題を求めた意味も、これから類推できます。つまり、寺名を入れた額を門に掲げることが、寺院として公認された証だったのです。平安後期には、寺領も寺名が決まったのちに施入される場合が多いようです。

第一章の「寺院縁起・資財帳の起源」項で述べたように、天平五（七三三）年『出雲国風土記』に掲載された仏教施設一一ヶ所のうち、寺名があるのは教昊寺だけで、残りは新造院と呼ばれていました。しかし、塔・厳堂（金堂）・教堂（講堂？）などの建物の有無や僧尼の有無を比較しても、教昊寺が他の新造院より充実しているようには見えません。しかし、天平五年一〇月二一日に、出雲国司が中央の弁官に発送した「僧尼帳一巻」「寺財物帳一巻」が教昊寺にかかわる書類なら、教昊寺と他の新造院との間には、公認寺院と非公認寺院、すなわち土地や奴婢を所有できるか否かという、決定的な違いがあったのです。教昊寺は他の新造院より古く建ったという推測もありますが、根拠はありません。造営年次に関係なく、新造院は寺として公認されておらず、寺名が決まっていなかったと理解するのが穏当です。その外見上の違いは、門に寺額が懸かっているか否かの違いでもありました。

天皇の発願寺院である以上、造営途上で焼失した文武朝大官大寺が公認寺院か否か論じる意味はありません。しかし、『大安寺資財帳』に登録された食封・論定出挙や寺領（墾田地や水田）は、舒明・天武・聖武天皇が納賜したもので、文武天皇が納賜したものは含まれていません。新たに食封や寺領を施入する機会がないまま、文武朝大官大寺は焼失したのです。二つの大官大寺が同時に存在したり、大安寺改称の経緯が曖昧な理由はここにあると思います。

大安寺における寺額と幡

大安寺の前身は七世紀にさかのぼる地名寺院ですが、百済大寺も高市大寺も天皇発願の大寺院です。通常の氏寺クラスの飛鳥・白鳳寺院と同じ次元で議論できません。しかし、額や幡の持つ意味を考えるために、『大安寺資財帳』において、額や幡がどのような形で登録されているか検討する価値はあります。

大安寺の南大門には寺額を掲げたはずですが、『大安寺資財帳』は明記しません。一方、大般若会開催時に、臨時に懸ける額（333行）があります「額捌条 一条仏殿前繍 一条中門 二条東西小門 四条東西廡廊」。大安寺大般若会は金堂の前、中門に取り付く回廊内広場でおこなった庭儀です。八条の額は、金堂（仏殿）正面、中門、回廊にある東西小門と回廊に取り付けて、大般若会会場を結界しました。「繍」すなわち木額ではなく布製品です。額には寺名を入れたはずですが、大般若会という特定行事の額なので、普通の額と異なるかもしれません。
一方、幡に関しては、『大安寺資財帳』233〜243行は灌頂幡《かんちょうばん》一二具と小幡二一三具を登録します。このうち、小幡は八五具が仏物、一二八具が法物で、仏像（仏堂内部）を荘厳する幡と、法会を荘厳する幡とがありました。ところが、灌頂幡一二具に関しては、小幡のような帰属や使用場所についての情報を欠きます。

合灌頂幡壱拾弐具
　組大灌頂一具
　　右前岡本宮御宇　天皇、以庚子年、納賜者
　繍大灌頂一具
　　右飛鳥宮御宇　天皇、以癸巳年十月二十六日、為仁王会納賜者
　秘錦大灌頂一具
　　右平城宮御宇　天皇、以養老六年歳次壬戌十二月七日、納賜者
　灌頂九具
　　右人々奉納

大安寺灌頂幡の由来

灌頂とは、もともとはインド王の即位式や立太子時に頭頂に聖水を注ぐ儀式で、仏教では菩薩が最高位につく時に仏が智慧の水を注ぐ儀式をさし、密教では法を伝え戒を授ける時に、香水を

受者にかける儀礼の呼称になっています。灌頂幡は儀式の荘厳具で、組大灌頂とは、現在、東京国立博物館の法隆寺宝物館にあるような、金属製部品を組み立てた灌頂幡、繡大灌頂は刺繡で装飾した布製品、秘錦大灌頂は装飾文様を織り出した織物です。大安寺の組灌頂は、舒明天皇が庚子（六四〇）年に、繡大灌頂は持統天皇が癸巳（六九三）年に、秘錦大灌頂は元正天皇が養老六（七二二）年に納めたものでした。

六四〇年は百済大寺造営開始の年です。組大灌頂は舒明天皇が創建したことを象徴する幢幡、すなわち大安寺（百済大寺）の由緒を保証する幢幡です。六九三年の繡大灌頂幡は、一〇月二六日の仁王会に納めたもので、同月二三日〜二六日の四日間にわたり、仁王経を百国で講じたとする『日本書紀』の記事に対応します。つまり、鎮護国家を目的に全国一斉に同じ経典を読誦させた時、中心的な寺として大安寺（高市大寺＝天武朝大官大寺）が機能したことを象徴する幢幡が繡大灌頂幡だったことになります。

一方、七二二年一一月一九日は元明太上天皇の一周忌にあたり、供養のため華厳経八〇巻、大集経六〇巻、涅槃経四〇巻、大菩薩蔵経二〇巻、観世音経二〇〇巻を写し、灌頂幡八首、道場幡一〇〇〇首、着牙漆几三六、銅鋺器一六八、柳箱八二を造り、一二月七日から京并畿内諸寺において僧尼二六三八人を屈請して斎供するよう命じています［『続日本紀』］。『大安寺資財帳』に登録された元正天皇納賜の秘錦大灌頂一具は、この灌頂幡八首の一つに該当します。しかし、灌頂幡以外に元正天皇が納賜したと『大安寺資財帳』が明記するのは93行「一切経一千五百九十七巻」（写経経典の一部）と135行「供養具弐拾口」（銅鋺器一六八の一部）だけです。納賜品のなかで灌頂幡は特記事項だったのです。

幡の寄贈者

各資産が仏法僧のいずれに帰属するのか記載するのが原則なのに、『大安寺資財帳』は灌頂幡一二具の帰属を明記しません。仏にも法にも僧にも帰属しにくい、寺の象徴的存在だったからと私は理解しています。幡は仏堂内や法会を荘厳する道具ですが、灌頂幡一二具の使途や帰属は明記せず、うち三具を舒明・持統・元正の各天皇が納賜し、残り九具を人々が奉納した事実が特記されています。同じ時に成立した「法隆寺伽藍縁起并流記資財帳」と比べると、大安寺の灌頂幡の意味が、さらに鮮明になります。

法隆寺は大安寺を上まわる一四具もの灌頂幡を、法分として所蔵していました。その一つは、大安寺と同様、七二二年に元正天皇が納めた秘錦灌頂一具です。その他の法隆寺灌頂幡のうち、片岡御祖命が納めた金銅製灌頂幡一具は、現在、東京国立博物館にある超豪華な金属製品です。しかし、他の一二具は人々が奉納したとしか記されません。数は多くても、寄贈者の格は法隆寺が劣ります。寄贈者の格が寺院の格を象徴しているのです。

他の資財帳や法隆寺・正倉院に残る布製幡の墨書銘を比較すると、八世紀前半まで公的寺院の象徴だった幡は、八世紀後半には堂内や法会の荘厳具としての性格が鮮明になったことがわかります。正倉院に残る一〇〇〇点をこえる染織幡は、明治一一年に法隆寺が皇室に宝物を献納した時の混入品を含みます。また、東京国立博物館所蔵の法隆寺献納宝物には、正倉院にあるはずの聖武天皇一周忌の斎会に用いる道場幡などが含まれています。法隆寺宝物献納時に正倉院に仮置きしたために生じた混乱とのことです。

銘にみる幡の変質

しかし、法隆寺系幡と正倉院系（東大寺系）幡は、形態・材質・文様や墨書銘で区別できます［松本一九八一・八二、木内・沢田一九八〇］。その違いは、法隆寺系幡が七世紀後葉〜八世紀前葉、正倉院系幡がおもに八世紀中葉に属することに由来します。つまり、時期差による違いで、とくに形態・材質・文様の違いは、中国大陸や朝鮮半島からの文化的影響の結果です。前者は初唐あるいは新羅の影響、後者は盛唐の影響になります。実物は残っていませんが、『大安寺資財帳』が登録する幡は、前者と共通するはずです。

法隆寺系幡と正倉院系幡は墨書銘も違っています。これは寺院における幡の扱いの違いを反映します。つまり、寺院における幢幡の機能や意義が、時期によって異なるのです。法隆寺系幡の墨書銘は、「己未年十一月廿日過去尼道果／是以児止与古誓願作幢奉」（法隆寺宝物N319－9）など幡の寄進者名と作幡年月日・作幡理由などを記しています。これに対し、正倉院系幡に添付した付箋には、寄進者名もありますが、本体に直接墨書した銘や縫いつけた布の墨書・朱書銘は「平城宮御宇　後太上天皇周忌御斎道場幡／天平勝宝九歳歳次丁酉夏五月二日己酉右番（以上朱書）東大寺（墨書）」（正倉院宝物南倉185幡類残欠　第126号櫃第92号）など、使用した場所・年月日や法会名が記載されています。

この幡の墨書銘の違いは、資財帳における幡の登記法の違いに対応します。すなわち、七世紀後葉～八世紀前半は、誰が幡を奉納したのかが重要で、幡を使用する場所や法会に関する情報は重視されません。とくに天皇が納めた幡を、寺院公認の証しとして重視したのです。ところが、八六七年「安祥寺資財帳」が荘厳供養具として計上した幡には、五層円灌頂二流・五層円幡四〇流・錦板幡二四流・繍幡八流と材質や機能・形態で命名した幡以外に、天井幡二流・内陣幡四〇流・角幡四流・外陣幡三六流・飛炎幡三六流など、仏堂内にかける場所による幡名が登録されています。九世紀の安祥寺では、仏堂の部所ごとに懸ける幡が特化しており、堂内各所を専用の幢幡で荘厳し、法会を盛り上げる工夫が発達していたのです。つまり、法隆寺系幡と正倉院系幡にみる墨書銘の違いは、寺における幡の機能や意義の変遷に連動しているのです。

「大安寺」成立の背景Ⅰ

以上、『大安寺資財帳』が、平城京大安寺への移転と「大安寺」名の成立について言及しない事実を疑問視して、寺院呼称の問題、寺院公認の問題、寺院公認の象徴となる額題と幢幡について検討しました。納得のいく回答は得られませんが、地名を含む和風寺号である「百済大寺」「高市大寺」に対し、地名を含まない「大官大寺」が土地に縛られない寺名であることは、漢風寺号「大安寺」成立の前提を考える上で重要です。

『続日本紀』は、文武朝大官大寺も「大安寺」と記します。そこには法令引用文もあるので、藤原京の時代から「大安寺」名があった可能性も否定できません。しかし、『日本書紀』は藤原京の前身寺院を「大官大寺」と呼び、天武朝の高市大寺も現在の「大官大寺」を指すと注記するので、「大安寺」名は『日本書紀』成立時になかったかもしれません。藤原京には既存の天武朝大官大寺と造営途上の文武朝大官大寺が併存しました。二ヶ寺が同名だったはずはないので、天武朝大官大寺が「大官大寺」なら、文武朝大官大寺は「大安寺」だったかもしれません。ただし、造営途上に焼失した文武朝大官大寺は、法灯や寺名を継承する機会や寺領や食封を獲得する機会もないまま終焉し、公式の寺名がなかったことが大安寺名に関する縁起記事を曖昧にした理由かもしれません。

同様の視点で『大安寺資財帳』成立時に、平城京大安寺が造営途上だった事実も見逃せません。霊亀二年五月一五日詔は題額と幢幡を寺院公認の象徴に挙げており、『大安寺資財帳』が成立した頃も、寺額や幢幡は重要だったはずです。一二世紀に成立した『七大寺巡礼私記』によれば、大安寺四面の門の額文は、東門「大官大寺」、西門云「百済寺」、南門云「大安寺」、北門云「南大寺」でした。天平一九年の大安寺南大門に「大安寺」額が懸かっていたかわかりません。『大安寺資財帳』は、門・金堂・講堂・食堂・経楼・鐘楼・回廊・僧房などの中心的建物の規模を記載しますが、「寺院地壱拾伍坊」の「四坊塔院」に関わる建物規模の記載はありません。塔は着工すらしていなかったのです。

また、大安寺の経済的基盤として、舒明天皇や天武天皇が納賜した食封・論定出挙・墾田地・水田が、創建時から確保されていました。舒明朝の百済大寺、天武朝の高市大寺・大官大寺を継承した資産です。一方、文武朝大官大寺の寺領が登録されていないのは、納賜以前に焼失した結果であることは上述したとおりです。一方、平城京に移ってからの大安寺領としては、墾田地九九四町を前律師道慈法師や寺主僧教義等が申請し、天平一六（七四四）年に聖武天皇から納賜されました（423〜469行）「今請墾田地玖佰玖拾肆町（内訳省略）右依前律師道慈法師、寺主僧教義等、啓白平城宮御宇 天皇、天平十六年歳次甲申、納賜者」。平城京大安寺が経済的に公認されたのは、この時と言えるかもしれません。

「大安寺」成立の背景Ⅱ

京白河の六勝寺をはじめとする平安時代後期（一一〜一二世紀）の寺院は、金堂・塔・講堂をはじめとする七堂伽藍がほぼ整った時点で、盛大な創建供養を実施しました。造営に功績のあった国司（受領）や工人・仏師も列席し褒賞《ほうしょう》を与えられ、経済基盤となる寺領が施入されることもあります。もちろん、創建供養後に新たな仏堂が加わることもありますが、創建供養を契機に正式の寺名が決まり、寺名を入れた額を懸けた最勝光院の例もあります。古代寺院の呼称は、国分僧寺・尼寺（金光明四天王護国之寺・法華滅罪之寺）のように、着工前から決まっている場合もありますが、中心堂塔が完成し供養する時、あるいは伽藍が完成した総供養の時に寺額を掛けたようです。東大寺では天平勝宝四（七五二）年に大仏開眼供養をおこないますが、この時は大仏殿・回廊・講堂・東西両塔は完成していません。八世紀の寺院は、施設全体が完成してから総供養するとは限らないので、いつ正式寺院名を寺額に掲げたのか特定できません。天平一七年に大官大寺を大安寺に改めたと『扶桑略記』は記しますが、そこに何か法的措置や儀式的契機があったとは思えません。

『大安寺資財帳』が成立した時、大安寺造営が現在進行形であることは、少なくとも、平城京に居住する天平人は皆、知っていたはずです。「現在」はニュースの対象で、歴史叙述すなわち縁起の対象ではありません。進行形の事実の結果は不確定ですから、歴史=縁起にならないのです。『大安寺資財帳』の縁起を筆録した人物は、結果が見えない「大安寺」自体の歴史的位置づけを控え目にしたのかもしれません。

『大安寺資財帳』の縁起が黙殺し、発掘調査で判明した重要な史実として、造営途上だった文武朝大官大寺が大火災で焼失した事実があります。斑鳩寺（若草伽藍）も天智天皇の時代に焼失しますが、『大安寺資財帳』と同じ時に成立した「法隆寺伽藍縁起并流記資財帳」は、この事実を無視・黙殺します。八世紀前半には、律令国家の思想基盤となる仏教寺院が最近焼失したという、当時、誰もが知っていた事実を公式文書に残しにくい雰囲気があったのかもしれません。大安寺は天皇勅願による日本最大の寺院として、代々、百済大寺・高市大寺・大官大寺すなわち「おでら」を呼称としました。平城京大安寺は文武朝大官大寺と天武朝大官大寺の法灯を継ぎますが、前史を踏まえると、同じ寺院名を継承することを躊躇する雰囲気が、八世紀にはあったかもしれません。そう考えると、八世紀以降は斑鳩寺ではなく法隆寺と記す場合が多い事実も、整合的に説明できます。

第三章　大安寺の基本財産となる仏像

冒頭で述べたように、『大安寺資財帳』に登録された品々は、八世紀前半における大安寺の経営を支える資産です。寺院経営の中心は宗教活動で、その資本となる寄付や寺領等の収入を効率的に動かす経済活動も重要です。宗教・経済活動のおもな要員として、僧四七三口、沙弥四一四口などが寺院地内に居住していました。彼らの日常生活を支える衣食住に関わる資産の一部も、宗教・経済活動に必要な資産とともに『大安寺資財帳』は登録します。もちろん、食料・衣料などの日常消耗品は資産として登録しませんが、稲穀や繊維製品は古代日本の主要交換財なので、少なくとも「天平十九年帳」は登録します。ただし、以後の寺院資財帳は、銭貨も含め登録しない場合が多くなります。重要なのは、『大安寺資財帳』に登録された資産は、宗教・経済活動を中心とした大安寺経営を目的としている事実です。品目ごとに仏法僧への帰属を注記する理由もそこにあります。

『大安寺資財帳』における財産記載方式は、必ずしも統一されていません。公的文書として我国で最初の財産目録ですから、スタイル確立に苦心したことは確実です。基本原則としては、最初に品目と員数をあげ、割注や行替え一字下げの添書で、品物の寸法や内訳、由来などを説明します。この種の目録には、員数・寸法・重量などの数字がつきまといます。数字には、一般の漢数字（一、二、三……）だけでなく、複雑な漢数字、壱（壹）、弐（貳）、参、肆、伍、陸、漆、捌、玖、拾、佰、阡があります。大字です。とくに総計など、重要な数値に大字を使います。現在は見かけませんが、かつては領収書に大字を用いました。縦棒・横棒からなる普通の漢数字と違い、改竄しにくいからだそうです。

大安寺の仏たち

寺院の宗教活動の中心となる物品は仏像と経典、すなわち「仏」と「法」です。一般には、有形・無形の固定資産のなかで、土地・特許料など価値が減少しないものが基本財産ですが、とくに法人が目的とする事業を実行する上で不可欠な財産が基本財産です。たとえば、博物館や美術館が事業を推進する上では、所蔵する文化財が基本財産になります。寺院にとって、仏像・経典は基本財産に相当します。縁起に続いて、『大安寺資財帳』は保有する仏像および経典をまっさきに列記します。仏像は、以下のとおりです（55～92行）。

合仏像玖具　壱拾漆躯　丈六即像弐具

右淡海大津宮御宇　天皇、奉造而請坐者

金渥銅像一具

右不知請坐時世

宮殿像二具　一具千仏像　一具三重千仏像

金渥雑仏像参具　木葉形仏像一具

金渥灌仏像一具　金渥雑仏像三躯

金涅太子像七躯　金涅菩薩像五躯
合繍仏像参帳　一帳高二丈二尺七寸　広二丈二尺四寸 二帳並高各二丈　広一丈八尺
一帳像具脇侍菩薩八部等卅六像
右袁智　天皇、坐難波宮而、庚戌年冬十月始、辛亥年春三月造畢、即請者
一帳大般若四処十六会図像
一帳華厳七処九会図像
右以天平十四年歳次壬午　奉為十代　天皇　前律師道慈法師　寺主僧教義等奉造者
織絨仏像一帳
画仏像六帳
右不知世時
繍菩薩像一帳
右以丙戌年七月、奉為浄御原宮御宇　天皇、皇后并皇太子、奉造請坐者
合菩薩像八帳　並画像
即四天王像四躯　在仏殿
右淡海大津宮御宇　天皇、奉造而請坐者
摂四天王像二具　在南中門
右天平十四年歳次壬午、寺奉造
即宍色菩薩二躯　即羅漢像十躯

即八部像一具　並在仏殿
右天平十四年歳次壬午、寺奉造
羅漢画像九十四躯　金剛力士形八躯
梵王帝釈波斯匿王毘婆沙羅王像　並在金堂院東西廡廊中門
右平城宮御宇　天皇、以天平八年歳次丙子造坐者

リストを修正する時の原則

前項に引用したリストには記載法に不備があり、そのままでは解釈できません。大安寺金堂本尊を評価するため、冒頭の一部を修正する案も提起されました［足立一九三七］。これに対し「濫りに史料を改変するべきではない」という正当かつ手厳しい批判もあります［水野一九九三］。また、典拠にした目録が複数あって、それを寄せ集めた結果、矛盾が生じたとする文献史学者にありがちな議論もあります。しかし、第二章で述べたように、資財帳は国に提出する財産申告書で、寺にとっては資産を管理する台帳です。その作成経緯は、異伝や矛盾が多い原史料をつぎはぎして編纂する史書とはまったく違います。典拠にした目録が複数あったとしても、作るべきは資産の実体を示す目録です。少なくとも帳尻が合わない箇所は、作成者が実態を再調査して修正するのが本来の姿です。

しかも、上に引用したのは、寺の基本財産となる仏像を登録した目録です。動産の多くは袋や箱（櫃）に収められ、チェックにも手間がかかりますが、仏像は基本的に須弥壇《しゅみだん》上に安置してい

るので、大きな誤りがあれば誰でも容易に気づきます。『大安寺資財帳』は全面に寺印を押捺した正式な公文書です。しかも、作成責任者として名を連ねた寺主法師教義《きょうぎ》は、道慈《どうじ》の指導の下で、大安寺の仏像造立にも深く関わっていました。細部の数字に不備や誤りがあっても、登録した仏像の内容に大きな脱落や誤りがあるはずがありません。

現在の私達でも目録を作ろうとすると、項目の立て方や登録方法に四苦八苦します。ましてや、「天平十九年帳」は最大級の寺院が保有する膨大な資産リストを作成する初めての試みです。どんな原則で目録を作るか試行錯誤があったに違いありません。第六章で分析する寺院地内の建物施設に関わる目録も、容易に実見できる不動産なのに、割注や行替え一字下げの添書で表示する方式や内容に不統一があります。しかし、一見矛盾しても、問題は書き方（表記方法）にあり、記載内容に大きな誤りはありません。

もちろん、資財帳の作成者も登録内容も、遠い時間の彼方にあります。意図的に事実を隠蔽した帳簿もあり得るので、真実に到達できないかもしれません。しかし、基本財産の登録内容に大きな誤りはあり得ないという立場を堅持するなら、解読者が必要最小限の修正を加え、帳尻を合わせて矛盾を解消するのは、一つの方策として許されると思います。ただし、自説を主張するため部分的修正を加えるのは「禁じ手」で、書き方を熟知した上で、全体を見渡し、帳簿として矛盾がないよう修正する必要があります。この観点で以下の修正私案を提起し、これを根拠に天平一九年時点の大安寺仏像群について解説・検討します。その成果に大きな矛盾がなければ、一つの修正案として通用すると考えます。

仏像リスト修正私案

A　合仏像玖具壱拾漆躯
丈六即像弐具
右淡海大津宮御宇　天皇、奉造而請坐者
金埿銅像一具
右不知請坐時世
宮殿像二具　一具千仏像　一具三重千仏像
金埿雑仏像三具　木葉形仏像二躯
金埿灌仏像一具　金埿雑仏像三躯
金埿太子像七躯　金埿菩薩像五躯

B　合繍仏像参帳　一帳高二丈二尺七寸　広二丈二尺四寸　二帳並高各二丈　広一丈八尺
一帳像具脇侍菩薩八部等卅六像
右袁智　天皇、坐難波宮而、庚戌年冬十月始、辛亥年春三月造畢、即請者
一帳大般若四処十六会図像
一帳華厳七処九会図像
右以天平十四年歳次壬午　奉為十代　天皇　前律師道慈法師　寺主僧教義等奉造者

C　合菩薩像八帳　並画像
織絨仏像一帳

画仏像六帳
右不知世時
繍菩薩像一帳
右以丙戌年七月、奉為浄御原宮御宇　天皇、皇后并皇太子、奉造請坐

D　即四天王像四躯　在仏殿
右淡海大津宮御宇　天皇、奉造而請坐者
堀四天王像二具　在南中門
右天平十四年歳次壬午、寺奉造
即宍色菩薩二躯　即羅漢像十躯
即八部像一具　並在仏殿
右天平十四年歳次壬午、寺奉造
羅漢画像九十四躯　金剛力士形八躯
梵王帝釈波斯匿王毘婆沙羅王像　並在金堂院東西廡廊中門
右平城宮御宇　天皇、以天平八年歳次丙子造坐者

＜仏像リスト修正私案＞解説

前項で提示した修正案は復原ではありません。『大安寺資財帳』は紙面全体に朱印「大安寺印」を押捺した正式文書ですから復原する必要はないのです。しかし、それは膨大な財産リストの作

成に習熟していない時期の所産です。文書作成はスタイルを決めて着手します。しかし、手本がないと不統一になりがちです。とくに文書冒頭では、表記法に逡巡します。私の修正案は、その逡巡で生じた不統一を、文書全体のスタイルにしたがって修正したものです。

前項〈仏像リスト修正私案〉A部分は、一行目の割注を本文とし、行替え位置をずらし、金涅雑仏像「参具」を「三具」に、木葉形仏像「一具」を「二躯」に書き換えました。表記方法を統一し、帳尻を合わせるための修正です。「具」は複数の仏像（群像）や安置する舞台装置を一体で数える単位で、「二躯」の仏像を「一具」とカウントするのは許容範囲です。他の部分で帳尻を合わせようとすると修正事項が拡大し、「必要最低限」という原則を堅持できません。B部分に修正はなく、C部分は末尾にあった総数を示す行を冒頭に移動しました。総数を表わす員数は大字表示が原則ですが（A・B部分）、C部分以下は原文を尊重して、普通の漢数字で表示しました。D部分は一行目の行頭を一字上げました。このように修正すると、A部分は如来や釈迦・菩薩・太子像を中心とした主尊的仏像のうち、「具」でカウントするものを前半に、「躯」でカウントするものを後半に配するきまりで登録しています。B部分は世界観を示すような巨大な本尊級繍仏、C部分は織仏（織絨仏《しょくせいぶつ》）・繍仏各一帳を含む菩薩画像、D部分は脇侍・守神および門や回廊に配した仏像・仏画というまとまりを意図したことがわかります。

第一章で指摘したように、『大安寺資財帳』をはじめとする成立年代が古い資財帳は、チェックリストとしての機能が稀薄で、登録した物品の所在や保管状況がはっきりしません。仏像リストも同様ですが、登録に際しては格上の仏像を優先する原則があったと考えられます。したがって、D部分の仏像だけ「在仏殿」「在南中門」「在金堂院東西廡廊中門」など、所在施設を明記していますが、所在を明記しないA・B・C部分で登録した仏像はD部分より格上で、原則、金堂（仏殿）・講堂など伽藍中枢に安置されていたと推測できます。

C部分の総数行を最初にずらす方策は、本原稿修正時に初めて気づき、修正私案を提起する自信が生まれました。列記した品物の総数を冒頭に挙げるか末尾に挙げるかは、現代でも迷う点です。『大安寺資財帳』は最終的に冒頭に挙げる方式を採用しますが、C部分だけは末尾に置いた草稿がそのまま残ったと考えられます。前著では、C部分の総数行をD部分の冒頭と理解したため、合わない帳尻を「数行の脱落があった」［水野一九九三］とする説にしたがっていました。脱落を認めると、脱落行を創作せねばなりません。それは「修正」ではなく「捏造」になります。C部分の総数行には「並画像」の割注があり、織仏や繍仏を含む実態と齟齬しますが、彫像に対して平面的な菩薩像を「画像」で総称したと理解できます。少なくとも、B部分の世界観を示すような巨大繍仏三帳と、C部分の織仏・繍仏・画仏からなる菩薩像八帳は、行替えで区別・登録する必要があり、修正私案により、その原則を加筆なしに堅持できます。

A部分の数字変更は、最も危険な修正ですが、「必要最低限」という節度は保ったつもりです。大安寺金堂の中心本尊を含む箇所にもかかわらず、A部分の記載法には不備があります。一方、修正の必要がないB部分は、正史に対応記事があり、大安寺史を考える上で重要です。まず、次項でB部分を取り上げ、資産登録法の原則を再確認します。

「霊鷲山繍仏図《りょうじゅせんしゅうぶつず》」

「合繍仏像参帳」の割注においては、一帳が高二丈二尺七寸（約六・七メートル）、広二丈二尺四寸（約六・六メートル）、残り二帳が高各二丈（約五・九メートル）広一丈八尺（約五・三メートル）であると寸法を明記します。西欧のタペストリーのように巨大な布製品で、刺繍で仏の世界を表わしたものです。刺繍による図像では、中宮寺の国宝「天寿国繍帳残闕《てんじゅこくしゅうちょうざんけつ》」が著名です。天寿国＝極楽を表現した巨大な刺繍残欠をパッチワークしたものです。刺繍ではなく、仏像を織り出したのが織仏（織絨仏）です。刺繍より図像を織り出す綴織《つづれおり》のほうが手間がかかりますが、當麻曼荼羅のような巨大な織仏も知られています。前著執筆時には、繍仏・織仏についてまとまった図録や書籍が少なく、『大安寺資財帳』を読むのに苦労しました。しかし、二〇一八年、国宝當麻曼荼羅の修理完成を記念し『糸のみほとけ――国宝綴織當麻曼荼羅と繍仏』展が奈良国立博物館で開催され、認識を新たにしました。

次行以下で、大安寺繍仏の図様と由来を解説しています。一帳は「像具脇侍菩薩八部等卅六像」すなわち釈迦如来を中心に、脇侍菩薩や八部衆など三六体の仏像をまわりに置いた釈迦如来浄土＝霊鷲山浄土を表現しています。以下、これを「霊鷲山繍仏図」と呼びます。記述順から、これが高二丈二尺七寸の大きい繍仏です。「霊鷲山繍仏図」は、袁智《おち》天皇（＝皇極天皇。重祚して斉明天皇）が難波宮にいた庚戌（六五〇）年冬一〇月から作り始め、翌年の辛亥年春に造り終え、寺が貰い受けました。百済大寺の時代のことです。

『日本書紀』白雉元（六五〇）年一〇月条に「始造丈六繍像・侠侍・八部等三十六像」、翌年三

月一四日条に「丈六繍仏像等成」とあります。資財帳だけでなく、正史においても大安寺仏像のなかで最も古い「霊鷲山繍仏図」の存在が確認できるわけです。ただし、造立主体が袁智天皇であることは『大安寺資財帳』独自の記事です。『日本書紀』によれば、孝徳天皇が即位した時、皇極天皇に「皇祖母尊」の号を奉ったとのことで、埋葬地（越智崗上陵）に由来する袁智天皇という呼称自体、『大安寺資財帳』独自の用語です。

大きさは「霊鷲山繍仏図」の一〇分の一以下ですが、如来倚像を中心に僧・菩薩・俗人・神仙の群像を配した繍仏として、勧修寺《かんじゅじ》繍仏（奈良国立博物館蔵、国宝）があります。古くから「刺繍釈迦如来説法図」と呼ばれ、霊鷲山浄土を表現したと解釈されていました。しかし、近年は、初唐に流行した弥勒仏あるいは優填《うでん》王像と女人等僧俗による供養を描いた舶載品とする説が提起されています［肥田一九九四］。

「霊鷲山繍仏図」の安置方法

『大安寺資財帳』は「霊鷲山繍仏図」の安置場所を記録しません。しかし、B部分に登録した仏像は、原則として金堂（仏殿）・講堂などの伽藍中枢にあったと考えられます。布製の仏像は吊るすか、平たい厨子に納めて礼拝供養します。吊るのは臨時的法会が多いようです。綴織で阿弥陀浄土を表現した當麻曼荼羅は、当麻寺本堂（曼荼羅堂）の本尊として、専用の厨子に納めています。大安寺金堂の柱高は一丈八尺、講堂・食堂の柱高は一丈七尺で、三帳の繍仏高はそれを大きく上まわります。桁や梁・壁に吊るすには、高さが不足します。専用厨子に納めた場合、金堂が安置場所の有力候補となります。

大安寺金堂の屋根構造はわかりませんが、一二世紀に成立した『七大寺巡礼私記』(大江親通著)によれば、東大寺大仏殿や興福寺・元興寺・薬師寺金堂の屋根は重閣(外見が二重屋根)で、高さ七メートル前後を容易に確保できます。本来「霊鷲山繡仏図」を安置した百済大寺金堂も、当然、重閣だったはずです。後述するように、十数年後、百済大寺金堂に、天智天皇造立の釈迦如来が本尊として安置されます。厨子に納めた繡仏を、本尊須弥壇背後に置けば来迎壁《らいごうへき》のような位置になります。これを踏襲した大安寺金堂では、天平期に完成した脱乾漆仏群が天智天皇が奉造した釈迦如来を囲んで「霊鷲山繡仏図」を立体化し、皇極天皇の繡仏は群像(=前立)に対する秘仏(=本尊)の役割を担った可能性もあります。

繡仏や織仏・画仏は色彩が生命線で、退色・汚染が大敵です。立体的彫像が灯明や香で煤けることは許容できても、繡仏・織仏・画仏は、日常的に厨子に納めるか巻物状態で保管するのが理想です。大安寺草創の象徴であることに加え、「霊鷲山繡仏図」が秘仏的な扱いを受けたと想像する一つの理由です。

彫像と比べ紙や布に平面的に表現した仏像は、格下とみなしがちです。しかし、七世紀~八世紀前半(飛鳥・白鳳時代)の日本列島では、繡仏・織仏を本尊として礼拝した例が少なくありません。我国最初の本格寺院=飛鳥寺の中金堂須弥壇には、止利仏師が作った巨大な金銅仏=飛鳥大仏が現在も鎮座します。しかし、『日本書紀』によれば、推古天皇一三(六〇五)年四月に、天皇が聖徳太子と蘇我馬子に命じて止利仏師に作らせたのは丈六の金銅仏と繡仏でした。造立年代から推定すれば、飛鳥寺の銅繍丈六仏像各一躯は、共に金堂に安置されたと考えられます。ともに丈六仏なら、両者は同格です。

これに対し、本尊が布製だった確実な例は、大津宮の内裏西殿（仏殿）です。天智天皇が東宮（大海人皇子＝天武天皇）に後事を託そうとした時に、大后（倭姫）と大友王を推薦し、大海人皇子が出家の道を選んだ場所が「内裏仏殿之南」で［『日本書紀』天智天皇一〇（六七一）年一〇月一七日条］、大友皇子が蘇我赤兄・中臣金・蘇我果安・巨勢人・紀大人とともに天智天皇の詔を受けて誓盟したのが「内裏西殿織仏像前」でした［同年一一月二三日条］。宮中仏殿の初出で、本尊が織仏だったことを語る史料です。空海が上奏し、唐の内道場にならって造った平安宮中和院の西にあった真言院が宮中仏殿の系譜を引くならば、その本尊と伝える真言院曼荼羅（東寺所蔵の両界曼荼羅）が絹本着色の仏画である事実も、伝統を踏まえた可能性があります。

「霊鷲山繍仏図」の史的評価

藤原京・平城京の薬師寺では、金堂に金銅薬師三尊、講堂に繍仏を安置しました。講堂本尊の繍仏は持統天皇六（六九二）年四月一二日に、持統天皇が天武天皇のために「奉造而請坐」したもので、高さ三丈、広さ二丈一尺八寸と「霊鷲山繍仏図」より大きく、「阿弥陀仏像并脇士菩薩天人等、惣有百余体、奉繍之」すなわち阿弥陀浄土変相図を刺繍で表現していました［「薬師寺縁起」］。ただし、平安時代の平城京薬師寺の講堂には、当寺の別当が私的に建立した三尺の釈迦立像が安置され、阿弥陀三尊并菩薩天等百余体を刺繍した「繍曼荼羅一帳」は箱に納めて最勝会の時に限って懸けられ、普段は礼拝できませんでした〔『七大寺巡礼私記』〕。足立康さんは、金堂本尊の薬師三尊も東塔も藤原京薬師寺から運んだのではなく、平城京薬師寺で新造したものと主張しましたが、元明太上天皇は「特にこの繍仏のみを新寺の講堂に移安された」と考えました〔足立一九三二〕。

このように七世紀～八世紀前半の繍仏や織仏には、大王家や天皇家の寺院や持仏堂の本尊として作った巨大なものがあり、大安寺の「霊鷲山繍仏図」もその一つと評価できます。とすれば、前項で述べたように、当初は百済大寺金堂本尊として、天智朝の釈迦如来丈六像ができた後は、来迎壁あるいは厨子内秘仏として機能した可能性が首肯できます。

なお、聖徳太子の死を悼んで、后の橘大郎女が作らせた天寿国繍帳も含め、巨大繍仏の作成に女性が関与する例が目立ちます。しかし、七四七年「法隆寺伽藍縁起并流記資財帳」は大安寺を上まわる量の仏像を登録しているにもかかわらず、繍仏や織仏は一つもありません。大安寺や薬師寺のように天皇家が直接関与した寺院ではないことが関係するのかもしれません。あるいは、女性が関与する作善・供養の場が、中宮寺（斑鳩尼寺）に片寄ったのかもしれません。しかし、八世紀後半の最大官寺である西大寺は、称徳女帝が発願・造営したにもかかわらず、多数の仏像や仏画以外に浄土世界を表した補陀落山（観音）浄土変や薬師浄土変の障子絵（ついたて状の板絵）があるのに、繍仏や織仏は皆無です〔七八〇年「西大寺資財流記帳」〕。平安時代には、衣裳装飾に刺繍が隆盛するのに、繍仏や織仏は衰退します。密教が儀軌として仏画を重視したためとも言われます。しかし、西大寺においては、天台・真言密教伝来以前に、繍仏・織仏は仏画に座を譲っています。

繍仏は中世に再び隆盛します。浄土教の隆盛にともない、當麻曼荼羅を再評価して転写したものには巨大な繍仏もありますが、基本的には掛軸装の小型品が多いとのことです［奈博二〇一八］。とくに、毛髪を刺繍糸に混ぜ込んだ阿弥陀三尊来迎図などは、臨終時の極楽往生や故人の追悼供養を目的に制作され、画仏ではなく繍仏を選んだこだわりの理由がわかります。當麻曼荼羅を原寸大で刺繍した京都真正極楽寺例のような近世の巨大繍仏があることは、『糸のみほとけ』展で初めて知りました。

天平期の繍仏図二帳

「霊鷲山繍仏図」以外の繍仏二帳、すなわち「大般若四処十六会図像《だいはんにゃししょじゅうろくえ》」「華厳七処九会図像《けごんしちしょきゅうえ》」は、天平一四（七四二）年に、十代天皇のため、前律師の道慈法師と寺主僧の教義等が奉造しました。十代天皇が現天皇を含む先帝十代を指すならば、百済大寺を創建した舒明天皇以下、皇極（＝斉明）・孝徳・天智・天武・持統・文武・元明・元正・聖武の各天皇が該当します。道慈は額田氏出身で大宝元（七〇一）年入唐。養老二（七一八）年に帰朝し、大安寺造営に貢献［『続日本紀』天平一六年一〇月二日条の卒伝］。寺主僧教義は、都維那僧霊仁《りょうじん》、上座法師尊耀《そんよう》とともに『大安寺資財帳』の巻末に名を連ねています。

「大般若四処十六会図像」とは、大般若経六〇〇巻が四箇所で一六回に分けて説かれたことを示す図像ですが、まだ類例に遭遇していません。四処とは、王舎城《おうしゃじょう》の鷲峯山《じゅぶせん》（霊鷲山）、舎衛国《しゃえこく》の給孤独園《きゅうこどくえん》（祇園精舎）、他化自在天宮《たかじざいてんぐう》、竹林精舎の白鷺池《はくろいけ》を指し、各場所で釈迦如来が説法する一六の場面が描かれていたと推測されます。主題から、毎年四月六・七日に金堂院でおこなった大安寺大般若会で使用したと考えられます。「霊鷲山繡仏図」の主題と一部の場面が共通するので、次項で述べる天智天皇造立の釈迦如来像を中心とした法会においても、この図像を活用した可能性が考えられます。

「華厳七処九会図像」は新訳『華厳経』にもとづく図像で、菩提道場会《ぼだいどうじょうえ》（第一会）、普光法堂会《ふこうほうどうえ》（第二・七・八会）、忉利天宮会《とうりてんぐうえ》（第三会）、夜摩天宮会《やまてんぐうえ》（第四会）、兜率天宮会《とそつてんぐうえ》（第五会）、他化自在天宮会《たかじざいてんぐうえ》（第六会）、逝多園林会《せたえんりんえ》（第九会）の七処九会における如来説法場面を表したものです。古く敦煌莫高窟壁画例が知られていましたが［林一九三八］、ペリオ将来のギメ美術館所蔵の絹本著色図像（一〇世紀初頭、縦二・八六メートル×横一・八九メートル）が新たに検討・報告されました［秋山ほか一九九四、奈良国立博物館二〇〇二年開催「大仏開眼一二五〇年　東大寺のすべて」展出品］。

華厳といえば東大寺が念頭に浮かびます。しかし、唐で学び、天平一二年に良弁《ろうべん》の要請により日本最初に華厳経を講じた新羅学生の審祥《しんしょう》は、大安寺に住んでいました。また、『大安寺資財帳』における銭の使途に、涅槃《ねはん》分銭・盂蘭盆《うらぼん》分銭・木叉《もくしゃ》分銭などのイベント費の一つとして130行「華厳分銭十八貫文」が計上されています。東大寺に先立って大安寺で華厳会をおこなったことは確実で、「華厳七処九会図像」は、その本尊と思われます。

「大般若四処十六会図像」と「華厳七処九会図像」は、同時期に道慈や教義等が造った同じ大きさの繍仏です。図様にも共通性があり、セットで作成したに違いありません。道慈は大安寺大般若会の創始にも関わっています。つまり、百済大寺・高市大寺（天武朝大官大寺）以来の法会の中心だった皇極天皇作成の「霊鷲山繍仏図」に対し、道慈が中心となって創始した平城京大安寺における新しい法会の中心が「大般若四処十六会図像」と「華厳七処九会図像」だったのです。この問題については、次章で道慈の功績を検討する時に再論します。以上、B部分に登録された三帳の繍仏は、単に巨大であるだけでなく、複数の仏像や複数の場面で、まとまった世界観を表現する曼荼羅的な図像です。

仏像のカウント単位

B部分の読解・解説で示したように、『大安寺資財帳』は冒頭に品名と総数を挙げ、割注や行替え一字下げの添書で寸法や由来を解説します。B・C部分の繍仏・織仏や軸・屏風に描く画仏は「帳」で、A・D部分の彫刻や壁画の仏像は、単独の場合は「躯」で、群像や舞台装置と一緒に数える場合は「具」でカウントします。以下、八世紀中葉における大安寺中心堂宇（金堂や講堂）にあった彫刻・壁画の仏像を具体的に検討します。

まず、A部分で具でカウントした仏像を取り上げます。A部分の「宮殿像二具」に関しては、小さな本尊を収納・礼拝する小型建物で、内壁に押出による千仏像を配した法隆寺の玉虫厨子（高さ二二六・六センチ）が想起できます。「千仏像」と「三重千仏像」の具体的な構造の違いはわかりませんが、中心本尊と内壁の押出仏を含めた小型建物を具と認識したのです。また、「金涅灌仏像一具」に関しては、片手挙手型金銅製誕生仏と灌仏盤などの舞台装置とを合わせて具と認識したと考えられます。「金涅雑仏像参具」は、「金涅雑仏像三具」と表記すべき箇所です。「木葉形仏像一具」は何を具と認識したのか判断できず、必要最小限の修正で帳尻を合わせるため「木葉形仏像二躯」に改訂しました。

「金涅雑仏像」「金涅太子像」「金涅菩薩像」を法隆寺宝物の金銅仏群と対比すれば、具でカウントした「金涅雑仏像」は三尊仏、躯でカウントした「金涅雑仏」は単独如来像、七躯もある「金涅太子像」は菩薩半跏像、「金涅菩薩像」は菩薩立像と想定できます［東博一九九九］。「安置した時がわからない（右不知請坐時世）」と特記された「金涅銅像」はかなり大きな仏像で、金堂や講堂に安置したと思いますが、法隆寺宝物を想起させる「金涅雑仏像」「金涅太子像」「金涅菩薩像」は、高さ三〇センチ前後の小型品が一般的です。念持仏のような使い方をしたら、安置場所は特定できません。

「木葉形仏像」は檀龕仏（白檀など舶来の緻密な材で造った龕入りの木彫仏）とする説もありますが［田中一九八九］、七四七年「法隆寺伽藍縁起并流記資財帳」は「檀像壱具」を登録しています。天平一九年においても檀像は檀像と表記し、木葉形仏像と呼んだとは考えられません。私は、木葉形仏像は火頭形塼仏（頂部光背形の塼仏）を示すと考えています。この想定が正しいなら、帳尻が合わないのは、塼仏二点を「一具」と認識するか「二躯」と認識するかによって、記載法に混乱があったと解釈できます。

金堂本尊とそれを囲む仏像群

A部分の筆頭が、「淡海大津宮御宇　天皇」すなわち天智天皇が造立・安置した「丈六即像弐具」です。巨大な脱乾漆（脱活乾漆）仏で、『大安寺資財帳』自体は像種や安置場所を明記しません。しかし、冒頭に登録した丈六即像二具の一つが、金堂本尊の釈迦如来像であることに疑いの余地はありません。一二世紀の『七大寺巡礼私記』は、大安寺金堂中尊丈六釈迦坐像の光背について「光背に化仏一二体と飛天一二体、須弥炎に多宝塔を安置し、そのまわりに雲形がめぐる（光中化仏十二体、飛天十二体、須弥炎安多宝塔、其塔廻有雲形）」と描写します。光背は改造・新造することが多いので、八世紀と同じではないかもしれませんが、如来単独ではなく、化仏や飛天等を含め具とカウントした可能性があります。前著［上原二〇一四］では、脇侍二躯を含めた釈迦三尊像を一具と記したと考えましたが、以下に述べるように金堂即像群が霊鷲山浄土を構成するなら、天平一四年造立の「即宍色菩薩二躯」（D部分）が脇侍の可能性もあります。

D部分には、金堂中尊の丈六釈迦坐像の周囲に配したと思われる仏像も登録されています。「在仏殿（金堂にある）」と注記した「即四天王像四躯」と「並在仏殿（すべて金堂にある）」と注記した「即宍色菩薩二躯」「即羅漢像十躯」「即八部像一具」です。前者は天智天皇が造立・安置したもの、後者は天平一四（七四二）年に、寺が造立・安置したものです。いずれも脱乾漆仏で、宍色菩薩二躯が釈迦如来の脇侍（薬王・薬上菩薩あるいは文殊・普賢菩薩）とすれば、釈迦三尊を守護する四天王像、羅漢像一〇体（十大弟子）、天龍八部衆とともに「霊鷲山繍仏図」と同じ仏像群を構成します。こじつけになるかもしれませんが、光背の飛天一二体を加えれば「脇侍菩薩八部等卅六像」という数まで一致します。

つまり、皇極天皇が造った「霊鷲山繡仏図」を、脱乾漆仏群で立体的に表現したのが、天智天皇が造立した釈迦如来像を中心とする大安寺金堂仏像群なのです［足立一九三七］。B部分の繡仏三帳を厨子に納めて金堂須弥壇の背後に安置したとすれば、横幅は六丈前後でほぼ身舎に納まります。須弥壇に対する来迎壁の役割を、繡仏の厨子が果したのです。須弥壇に安置された中尊と四天王像は天智天皇が造立しましたが、それは皇極天皇を本願とする霊鷲山浄土世界の中尊を立体化したものでした。しかし、群像の完成は天平一四年まで遅れます。それが四月六・七日の大安寺大般若会を国家的法会に格上げし、特別枠予算を獲得した道慈の功績によることは、次章で再論します。

なお、著名な阿修羅像を含む興福寺脱乾漆仏像群（天龍八部衆と十代弟子像）も、釈迦如来を囲む眷属たちです。『七大寺巡礼私記』によれば、興福寺西金堂は、光背に伎楽菩薩一六体を配した金色丈六尺迦を中尊とし、脇侍の薬王・薬上菩薩、十大弟子、准胝観音、帝釈天、四天王、力士、八部衆など合せて四二体がまわりを囲んでいました［福山一九三三b］。興福寺西金堂は天平六（七三四）に創建供養されているので［福山一九三三a］、大安寺の十大弟子や八部衆の制作年代も興福寺西金堂の創建年次に近似します。当然、大安寺金堂即像群もこうした造像の流れのなかに位置づけられます。大安寺金堂群像が一部でも残っていれば、天平脱乾漆仏の成立や変遷を考える好材料となったに違いありません。

しかし、大安寺金堂は寛仁元（一〇一七）年三月一日の大火災で壊滅的被害を受けます。『扶桑略記』は「残ったのは塔だけ（所遺塔婆也）」、『日本紀略』は「釈迦如来一体だけがその火災をまぬがれた（釈迦如来一体免其火難）」と記します。釈迦如来は金堂本尊なので、『七大寺巡礼私記』の「寛仁年中西塔并講堂食堂宝蔵経蔵鐘楼等凡二十余院払地焼亡」の記事は、金堂を記載し忘れています［太田一九七九］。しかし、翌年には再建が計画され［『小右記』］、『七大寺巡礼私記』は五間四面瓦葺金堂と歩廊、五間四面瓦葺講堂、瓦葺七重東塔、十間西室、四面門などの再建建物を記録しています。その時、金堂には中尊丈六釈迦坐像以外に、等身金銅阿弥陀仏と木像脇侍、等身木像千手観音、等身木像吉祥天、宝誌和尚木像影を安置していましたが、霊鷲山浄土世界の脱乾漆仏群像はありませんでした。

大安寺釈迦如来の信仰世界

皇極天皇が作った繍仏は、大安寺（百済大寺）で最も古い本尊級の重要な仏像ですが、さほど注目されていません。これに対し、金堂本尊である天智天皇造立の釈迦如来像は、華麗な荘厳と霊験で著名でした（図5）。『七大寺巡礼私記』は、薬師寺金堂内の荘厳が華麗なことを紹介し「大安寺の釈迦如来を除けば、諸々の寺で、薬師寺の仏像および荘厳に勝るものはない（除大安寺尺迦之外、此寺仏像及粧厳勝於諸寺云云）」と割注で述べています。この割注は一人歩きをして、運慶・快慶が活躍する以前の南都諸寺の仏像で最もすぐれた仏像が大安寺の金堂釈迦如来像で、薬師寺金堂本尊より美しかったと解説されます。しかし、この割注は薬師寺金堂本尊自体ではなく、堂内荘厳に関わる割注なので、必ずしも過大に評価できません。

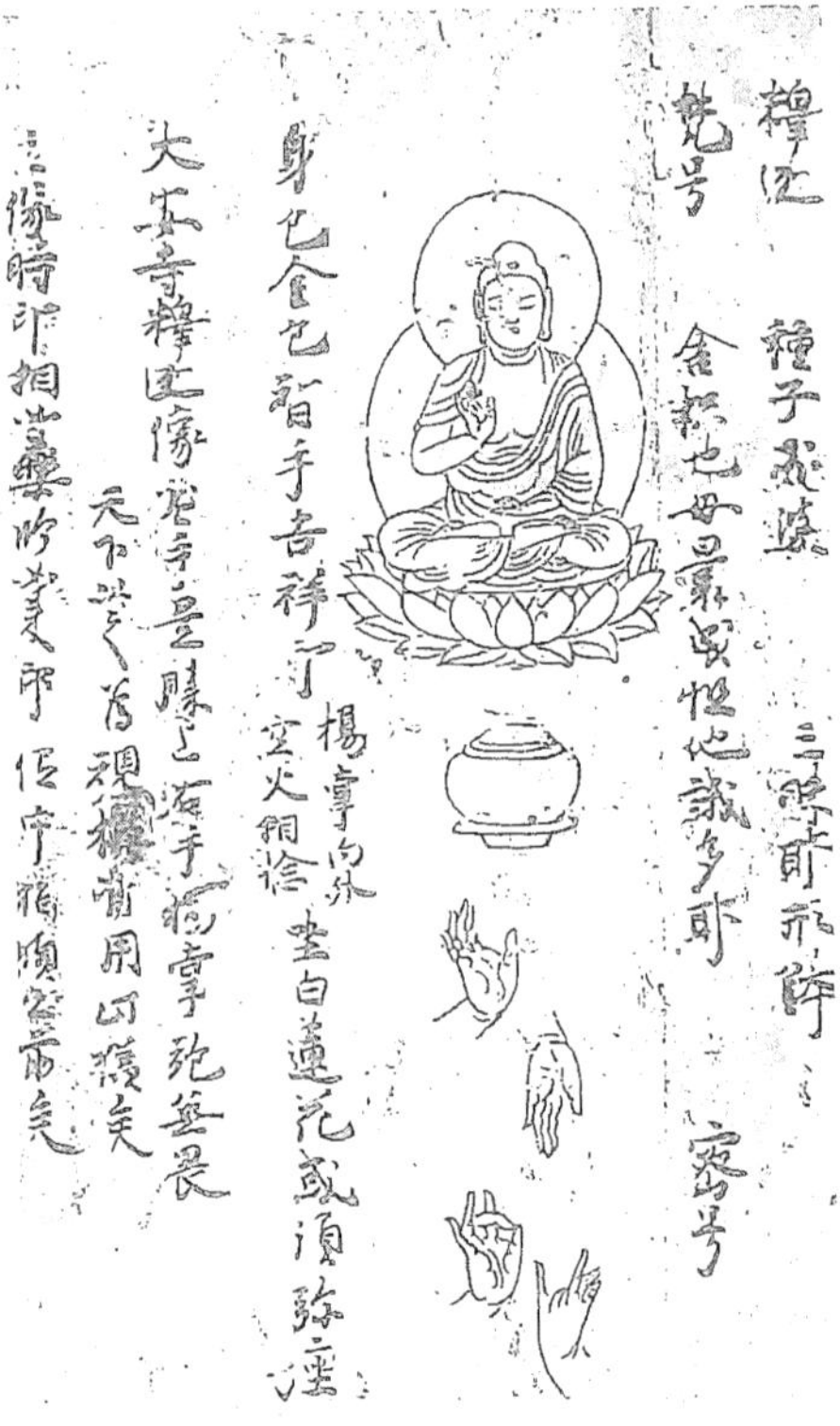

図5 基準作例となる大安寺釈迦如来

東寺観智院蔵本「諸尊図像」釈迦白描図には、「大安寺釈迦像は左手を膝上に置き、右手は掌を揚げて施無畏とす。天下之をもって視様となし、皆此の様を用う（大安寺釈迦像、左手置膝上、右手揚掌施無畏。天下以之為視様、皆用此様）」と解説している。

一方、大安寺金堂釈迦如来像は、奈良～平安時代前期には、衆生の願いを叶えてくれる霊験あらたかな仏像で、中世には基準作例として模刻されました［中野二〇〇〇］。平安時代の初めに成立した仏教説話集『日本霊異記』には、聖武天皇御狩場の鹿を食べ拘束された家族が、大安寺本尊に誦経・祈願して罪を免れた話［上巻第三二話］、大安寺の西に住む貧しい女人が、釈迦丈六に花・香・灯を供えて福分を祈願し、富を得た話［中巻第二八話］が載っています。女人が得た福分とは、参詣した翌朝に「大安寺大修多羅供銭」「大安寺常修多羅供銭」「成実論宗分銭」

と記した短籍（木簡）付の銭四貫がもたらされたという内容で、『大安寺資財帳』も所蔵する銭六四七三貫八二二文の内訳に128行「修多羅衆銭一六六八貫六一文」「三論衆銭一一一〇貫八五〇文」などの衆派別配当金を登録しているので、リアルな話として通用したと考えられます。

古代寺院金堂の本尊

なお、皇極天皇「霊鷲山繍仏図」を立体化したのが、大安寺金堂即像群とする足立説にしたがうと、七世紀中葉における舒明・皇極天皇による百済大寺造営の本願が、約一世紀にわたり継承され、金堂即像群として実現したという誤解を生むかもしれません。しかし、天智天皇が造立した釈迦如来（丈六即像）が皇極天皇の「霊鷲山繍仏図」の中尊を立体化したものとしても、金堂即像群が成立するまで、かなりブランクがあります。そもそも、七世紀〜八世紀前半の金堂本尊は、飛鳥寺・法隆寺・百済大寺・大官大寺・大安寺・興福寺など釈迦如来が主体で、それは国分寺造営詔まで継承されます。しかし、平安前期には東寺・延暦寺など薬師如来を金堂本尊とする例がめだち、現在まで法灯を継ぐ各地国分僧寺でも、九・一〇世紀以降、薬師如来を本尊とする例が増えます。薬師如来像は法隆寺金堂が初現ですが、七世紀末の藤原京薬師寺が金堂本尊に薬師如来像を祀る初例です。

一方、やはり法隆寺金堂例が七世紀にさかのぼる阿弥陀如来像も、八世紀後半の阿弥陀浄土院造営が金堂本尊の嚆矢で、一一・一二世紀以降は阿弥陀如来を本尊とする寺院が他を圧倒します。こうした流れのなかで、薬師信仰隆盛の背景は病気平癒などの現世利益的信仰、阿弥陀信仰隆盛の背景は極楽往生祈願などの説明が入口に膾炙します。しかし、釈迦信仰隆盛の動向は説明しにくいようです。その点、皇極天皇が本願とした釈迦如来「霊鷲山繡仏図」から、子供の天智天皇が中尊釈迦如来とそれを守護する四天王像を抽出して金堂本尊とし、曾孫の聖武天皇時代に霊鷲山浄土が再認識されて、興福寺西金堂などの造像の流れに乗って立体即像群に仕上げたとすれば、七世紀中葉～八世紀中葉の釈迦信仰の変遷として評価できます。「霊鷲山繡仏図」を曼荼羅的世界観と理解すれば、それを立体化したのが聖武天皇―道慈だったことになります。

金堂本尊は天智天皇の発願か

現存の脱乾漆仏は興福寺阿修羅像等などの天平仏が多いのですが、聖徳太子墓（太子町磯長廟）や中臣鎌足墓と推定される高槻市阿武山古墳、斉明天皇墓と推定される明日香村牽牛子塚古墳に納めた棺が脱乾漆棺（夾紵棺《きょうちょかん》）なので、天智朝に脱乾漆仏があっても不思議ではありません。しかし『大安寺資財帳』の縁起は、天智天皇が造った丈六釈迦如来像について言及せず、50～52行「文武天皇が九重塔や金堂とともに丈六仏を造った（後藤原宮御宇　天皇、九重塔立金堂作建、並丈六像敬奉造之）」と記します。にもかかわらず『大安寺資財帳』が登録する仏像のなかに、文武天皇が造った丈六仏はありません。一方、縁起に記載がないのに、A部分の「丈六即像弐具」は「天智天皇が造立した（右淡海大津宮御宇　天皇奉造而請坐）」と明記します。

『扶桑略記』は、天智天皇七（六六八）年五月条の「勅造百済大寺、今大安寺也年月不詳」の記事に続けて、「彼寺記」を典拠に「丈六の釈迦如来と脇侍菩薩等の像を造り、大安寺に安置した。天智天皇が夜を徹して祈念していると、夜明けに二人の女人が天上から来臨した。姿は端麗で、芳香が満ちた。二人はこの仏像を礼拝し、妙なる花を捧げ、讃える歌を詠み、この像を見ると相好をすべて備え、霊山の実相と少しも違えるところがない、この世の衆生は非常に清信であると、天皇に告げた。その言葉が終わる間もなく、飄然として雲に入った。開眼の日には、瑞応は一つだけでなかった。紫雲が空に満ち、妙音が天に湧く等の現象がそれである（別造丈六釈迦如仏像並脇士菩薩等像。安置寺中。天皇夜致祈念之間、暁更有二女人、来自天上。容花端麗、香気遍満。礼拝此像、供養妙花、讃歌良久。謂天皇曰、今見此像、相好已具、與霊山実相、毫釐無違。可謂此土衆生、甚有清信。其言未終、飄然入雲。又開眼之日、瑞応不一、紫雲満空、妙音沸天等是也）」の霊験譚を引用します。同じ記事は『寛平縁起』にも見えます。『大安寺資財帳』の縁起には記載されていませんが、天智天皇造立の釈迦如来霊験譚は有名だったようです。

第二章の「縁起解説Ⅵ」項で述べたように、藤原京の文武朝大官大寺は大火災で焼失。金堂は完成していましたが、塔・回廊は造営中でした。文武天皇が造った丈六仏は、金堂もろとも焼失したのです。大安寺金堂本尊が、天智天皇発願の丈六釈迦如来脱乾漆像なら、それは天武朝大官大寺（高市大寺）から直接運搬されたと考えられます。この推定は、飛鳥藤原京地域（奈良盆地南部）から、仏像を平城京大安寺へ運搬したときの梱包材を『大安寺資財帳』が登録している事実により裏付けられます。

丈六即像梱包材

『大安寺資財帳』では、褥（敷布）・坐具や袈裟などの衣類を列記したなかで、251行「合丈六《じょうろくを》覆《おおう》帛絁《はくせ》弐拾漆条 五丈以下　七尺以上　並仏物」と252行「合仏張柱褁《ほとけのはりはしらのふくろぬの》布参端 二長各五丈　一長四丈　並仏物」を登録します。仏に帰属する巨大な布で、字義通り理解すれば、前者は丈六仏を覆う絹布二七枚、後者は仏像を補強した木枠にかぶせる布袋三枚です。『大安寺資財帳』には珍しく大きさを明記しており、前者は長さ二・一～一四・八メートル、後者は長さ一四・八メートルのもの二枚と一一・八メートルのもの一枚です。巨大なので、寸法を特記したのでしょう。

このような巨大な絹布や布袋は、他の寺院資財帳にはありません。つまり、この絹布や布袋は大安寺の特殊事情を示すのです。大安寺の特殊事情とは、言うまでもなく、過去に移転をくり返したことです。『大安寺資財帳』は天智天皇が作った脱乾漆丈六仏や四天王像、あるいは由来不明の金銅仏一具を、安置仏像群の冒頭に登録します。先行寺院の仏像です。これらは、奈良盆地南部から北端の平城京まで運ばれたのです。

巨大な仏像を移動するには、現在なら像のまわりに木枠を組み、発泡スチロールや薄様紙・布などを緩衝材《かんしょうざい》にして梱包します。大安寺移転に際しては、丈六仏を絹布で包み、そのまわりに木枠（仏張柱）を組み、全体を布袋ですっぽり覆ったのです。脱乾漆仏は内型となった粘土を掻き出すと軽くなります。何度も火災に見舞われたのに、阿修羅像をはじめとする興福寺西金堂の脱乾漆仏群が現存するのは、真っ先に避難できたからだと言われています。移転が済めば、木枠は解体・転用します。梱包した布も巨大で色々と再利用できそうですが、大きな布を切り刻むのはもったいないので、あるいは本尊を包んだ貴重な布なので、仏分すなわち仏に帰属するものとして保管したのでしょう。まさか、次の引越に備えたわけではないと思います。

金堂本尊はもと大津宮にあったのかI

終末期古墳に特有の脱乾漆棺（夾紵棺）と即仏像（脱乾漆仏）の製作技術が共通する事実に注目した森田克行さんは、両者の制作に漆部氏が関与したと考え、七〜八世紀の政治的動向のなかで漆部氏の果たした役割を追究し、阿武山古墳＝藤原鎌足墓に脱乾漆棺が採用された歴史的背景を検討しています［森田二〇一五］。そのなかで、『大安寺資財帳』にある「天智朝に作られた丈六即像の二具は、即の四天王像四躯を含めて、大津宮にあった官寺から高市大寺、大官大寺を経て大安寺まで順送りで遷座していった」と述べているのを見て、私はビックリ仰天しました。『大安寺資財帳』の縁起は、天智天皇が造立した丈六即像の由来を明言していません。縁起にあるのは、斉明天皇が死の間際に、夫の舒明天皇から受け継いだ百済大寺造営事業の行末を心配し、天智天皇と仲天皇（＝妻の倭姫）に後事を託した記述だけです。漠然と天智天皇が奉造した丈六即像二具や即四天王像四躯が、それに該当すると思っていましたが、大津宮の官寺からこれらの即像を運んだとすると、それは斉明天皇の遺言を天智天皇や倭姫が実行したのではなく、壬申の乱で近江朝廷が敗北した後の、天武天皇による戦後処理と説明せざるを得なくなります。

しかし、この解釈は『大安寺資財帳』の誤読と誤解にもとづいています。森田さんは、丈六即像二具と即四天王像四躯に関する『大安寺資財帳』の記事を「右、淡海の大津宮に御宇天皇のときに造り奉り、而して請座するものなり」と読み下し、両者が「天智天皇が大津宮にあったときに奉造され、それらが大安寺にもたらされたとの記録です」と解説しています。誤解は、該当部分では「淡海大津宮御宇 天皇」は「奉造」「而請坐」の主語にすぎないのに、「奉造」の時を限定する修飾語と解釈したことにあります。『大安寺資財帳』は、原則として政治を執った主要宮殿名で天皇個人を特定します。『古事記』などと同じです。たとえば、縁起では斉明天皇（「後岡基宮御宇 天皇」）が「筑志朝倉宮」で崩御した時に、後事を託したのは「近江宮御宇 天皇」（天智天皇）です。斉明天皇崩御時には、天智天皇は未即位で、近江宮＝大津宮は影も形もありません。すなわち『大安寺資財帳』の縁起における「宮殿名＋御宇 天皇」は、個人を特定する用語で、歴史的事件の時点や場所を特定していません。つまり『大安寺資財帳』の記事から、天智天皇が大津宮で丈六即像二具と即四天王像四躯を造ったとは理解できません。

金堂本尊はもと大津宮にあったのかⅡ

縁起によれば、百済大寺の造営は皇極天皇が阿倍倉橋麻呂と穂積百足、高市大寺の造営は天武天皇が御野王と紀臣訶多麻呂を造寺司長官に任命し推進します。仏像も造寺司あるいは造寺司管下の工房（後世の用語で「造仏所」）で造るのが原則なので、寺の近くに「造仏所」を設置したはずです。もし、大津宮周辺の官寺から本尊を運んだなら、それは壬申の乱で廃寺になった官寺から転用したことになります。森田さんは「大津宮にあった官寺」として崇福寺・穴太廃寺・南滋賀廃寺を挙げ、大津宮「仏殿」も含め、大安寺の即像二具が安置されていた本来の場所の候補と考えました。しかし、大津宮内裏「仏殿」の本尊が織仏だったことは先述したとおりです。しかも、崇福寺・穴太廃寺・南滋賀廃寺は、発掘成果や採集遺物から、平安時代まで存続したことがわかっています。これらの寺の本尊が、高市大寺や大官大寺に運ばれたはずがありません。

発表後に森田さんもこの矛盾に気づいたらしく、パネル・ディスカッションの席で「崇福寺は平安時代まで存続しますので、本尊の丈六仏が飛鳥浄御原宮の高市大寺に遷座したと考えるのは現実的ではありません。証拠はないのですが、対案《ママ》としては大津宮造営時に伽藍が完成し、壬申の乱の直後に取り壊された穴太廃寺の本尊が高市大寺に遷され、最終的には大安寺にもたらされた可能性が考えられます」と発言しています。しかし、穴太廃寺の発掘では、大津宮と同じ方位で再建された金堂跡から緑釉陶器皿、講堂跡から神功開宝・三彩陶器・緑釉陶器・灰釉陶器などの土器類が出土し、土師器の年代観から、講堂は一二世紀頃まで存続したことが判明しています［滋賀県文化財保護協会二〇〇二］。二時期の寺院跡からなる穴太廃寺の遺構解釈には困難な点が残りますが、高市大寺に本尊を遷した「大津宮にあった官寺」候補にならないことは確実です。なお、再建講堂の須弥壇埋土から、丈六塑像仏の螺髪《らほつ》が出土しており、少なくとも穴太廃寺講堂本尊は塑像だったことも確実です。そもそも『大安寺資財帳』の縁起は、平城京大安寺が大官大寺、高市大寺、百済大寺、熊凝寺にさかのぼると主張しており、そこに大津宮周辺の官寺が割り込む隙間はありません。丈六即像二具や即四天王像四躯は、百済大寺のために天智天皇が寺の近くで造立し、天武朝大官大寺（高市大寺）経由で大安寺に運ばれたのです。

仏像以外に飛鳥藤原京地域から運ばれたもの

先述したように、大安寺金堂本尊の丈六即像（＝釈迦如来坐像）が飛鳥藤原地域から平城京へ運ばれたことは、『大安寺資財帳』に登録された仏像梱包材から証明できます。『大安寺資財帳』は、これ以外にも飛鳥藤原地域から平城京へ移した資財を登録しています。285行「合桴綱壱拾陸條通物」と307行「合塔分古帳長布壱佰捌拾玖端 紺布五十五端 白布一百卅四端」です。桴綱《ふづな》とは筏《いかだ》の引綱です。これも他の寺院資財帳には見られない資財です。

筏はおもに建築資材の運搬手段です。大安寺造営にも筏は必要です。しかし、建築を担当するのは造寺司、資材運搬を担当するのは津・木屋などの港湾施設で、寺の財産として筏の引綱を保管するとは考えられません。飛鳥藤原地域にあった天武朝大官大寺（高市大寺）の建物を解体・運搬・再建したとすれば、担当するのは造寺司です。しかし、大安寺出土瓦には天武朝大官大寺や百済大寺の所用瓦は含まれていないので、仏像を運んでも、建物は移築しなかったと理解できます。一方、仏像などを運ぶのは寺院運営組織の責任です。物によっては人担や荷車で運びますが、引綱が資財帳に登録されている以上、筏などによる舟運も、寺院財産を運搬する手段の一つだったと考えられます。

塔分古帳長布は、塔に使った古いカーテンです。『大安寺資財帳』ができた時、塔はまだ建っていません。この記事を根拠に、『大安寺資財帳』は塔が完成した神護景雲元（七六七）年以降に加筆されたとする説もあります。しかし、登録されたのは古いカーテンで、新たに建った塔の所用品という理解自体が誤りです。そもそも、『大安寺資財帳』は加筆や削除ができないように、全面に「大安寺印」を押捺しているので、加筆があれば当該部分の行間が狭くなったり、押印に不整合が生じます。つまり、火災に遭っていない天武朝大官大寺の塔で使ったカーテンが、平城京大安寺に運ばれたのです。

『大安寺資財帳』は膨大量の品々を登録しますが、各々の由来については多くを語りません。しかし、天皇が納賜した品物の一部は、寺の権威を高める重要資産なので特記します。皇極天皇の繍仏、天智天皇の丈六即像・即四天王像、丙戌（六八六）年七月に天武天皇のために持統天皇と草壁皇子が奉造した繍菩薩像、甲午（六九四）年に持統天皇が請坐した金光明経一部八巻・金剛般若経一百巻、庚子（六四〇）年に舒明天皇が納賜した組大灌頂一具、癸巳（六九三）年一〇月二六日に仁王会のために持統天皇が納賜した繍大灌頂一具は、明らかに飛鳥藤原地域から平城京大安寺に運ばれたものです。これ以外にも天武朝大官大寺から運んだ品々は少なくないはずですが、舒明・皇極・天智・天武・持統天皇や草壁皇子に由来するものがあるのに、文武天皇に由来するものがないのは、文武朝大官大寺焼亡によることとは、前章で指摘したとおりです。

もう一つの丈六即像の行方

A部分によれば、天智天皇が造立した丈六即像は二具です。金堂本尊の釈迦如来即像は、天平期に追加製作された即像群と合わせて霊鷲山浄土を構成するので、光背の化仏や飛天を「具」でカウントした理由と考えました。しかし、もう一つの丈六即像は脇侍二躯を含めた三尊像を「具」と認識した可能性があります。丈六即像二具のうち一具が金堂本尊釈迦如来なら、もう一具の丈六即像は何か。この問題に関しても、いくつかの先行研究があります。天智朝の丈六即像が二具あるはずがないという立場で、「弐具」は「壱具」の書き間違えだとする説や、一具は文武朝の仏像だとする説は、いずれも資財帳の原文を大きく書き改めないと成立しない議論なので、採用できません。

たとえば、「弐具」を「壱具」に書き直すと、冒頭の総数「玖具」と合致しますが、「壱拾七躯」は帳尻が合わず、あと二躯の仏像を捻出せねばなりません。先述したように、天智天皇造立の丈六即像（脱乾漆釈迦如来坐像）は大安寺で最も重要な仏像です。うっかりミスは重要ではない箇所で起きるので、丈六即像の数や由来に誤記があると思えません。そもそもミスを防ぐために大字で表示した冒頭からミスはあり得ません。

なお、『大安寺資財帳』や『続日本紀』の記事から、文武天皇が丈六仏を造立したことは確実です。『扶桑略記』文武天皇三（六九九）年六月一五日条は「或記云」として、文武天皇が「大官大寺内で九重塔を建て、七宝を施入した。また同寺内で五〇〇人を得度させるにあたり、天智天皇の御願を追感するため丈六仏を作ろうと考え、良工を招こうとした。しかし、人材が得られず、天智天皇造立の丈六仏に合掌し、よい工匠を得て尊容を彫刻したいと祈願した。その夜、一人の沙弥が現れ、天皇に告げた。かつてこの像を造ったのは化人である。同じものは造れない。優れた匠でも斧を使い間違えるし、優れた画工でも顔料の調合を間違える。だから、大きな鏡を仏前にかけ、映った像を拝みなさい。鏡の像は絵でもなければ彫像でもない。三身は備わっており、その形を見れば応身之躰《おうしんのてい》である。その影を窺えば化身之相《けしんのそう》である。その空を観れば法身之理《ほっしんのり》である。

功徳の勝利はこれにまさるものはない。天皇は夢から覚めて歓喜し、如来が願いに応えてくれたことを知る。そこで大きな鏡を仏前に懸け、五百人の僧を招いて大きな供養をおこなった（同比、天皇於大官大寺内、起九重塔。施入七宝。又於同寺内、度五百人。追感天智天皇御願、欲造丈六仏像。招求良工、未得其人。天皇合掌、向仏発願曰、冀遇工匠、奉刻尊容。其夜有一沙弥、謂天皇言、往年造此像者、是化人也。非可重来。雖得良匠、猶有斫斧之蹟、雖云画工、豈无丹青之訛。宜以大鏡、懸於仏前、拝其映像。像則非図非造。三身具足。見其形者、応身之躰也。窺其影者、化身之相也。観其空者、法身之理也。功徳勝利、無過斯焉。天皇夢覚而歓喜。知如来之応願。即以大鏡、懸於仏前。請五百僧、大設供養）」という説話を引用しています。同じ記事は『寛平縁起』にもあります。すなわち、天智天皇が造立した釈迦如来と同じ像を、文武天皇は造ろうとしたと考えられていたのです。

文武朝大官大寺と天武朝大官大寺（高市大寺）が別の寺であることを無視すると、同じ寺に同じ本尊を二具安置したことになりますが、大官大寺が二つあったことを知っている私たちは、文武天皇が計画したのは文武朝大官大寺の本尊だったと理解できます。これが火災をまぬがれて、『大安寺資財帳』における丈六即像二具の一つになったと理解すると、同じ如来像が大安寺に二具あったことになります。もちろん安置する仏堂が異なれば、本尊級の丈六像が二具あってもよいでしょう。その場合、金堂以外の仏堂は講堂が有力候補となります［三好二〇〇二］。しかし、講堂も金堂も釈迦如来が本尊だったとは考えにくいと思います。『大安寺資財帳』に文武天皇由来の資財が一つも登録されていない以上、やはり文武朝大官大寺の本尊は焼失したとするのが素直な理解なのです。

講堂に安置した仏像Ⅰ

ここでは、『大安寺資財帳』を信じて、金堂本尊以外に、天智天皇が造立した丈六即像がもう一具あったと理解して話を進めます。金堂には丈六釈迦如来を中尊とし霊鷲山浄土を立体的に表現した脱乾漆仏群と、巨大な繍仏三帳が安置されているので、もう一つ丈六即像一具を安置したとは思えません。とすれば、『大安寺資財帳』が金堂以外に「堂」として登録した講堂・食堂と禅院の堂が、もう一つの丈六即像を安置した場所の候補になります。ここでは講堂をもう一つの丈六即像の安置場所である可能性を探ります。

もともと講堂（会堂）は、住房（僧房・尼房）、布薩堂、食堂、井堂、温室（湯屋）、経行堂、門屋とともに、僧尼の居住・修学・修行のための空間（僧地）を構成する建物施設で、塔・金堂などの仏陀礼拝空間（仏地）とは区別すべき存在です［上原一九八六］。とくに七世紀にさかのぼる大和飛鳥寺［奈文研一九五八］・山田寺［奈文研二〇〇二a］・法隆寺西院伽藍［浅野一九五三］、摂津四天王寺［文化財保護委員会一九六七］、三河北野廃寺［岡崎市教委一九九一］など、講堂に桁行八間の礎石建物が多い事実は、高座（論議台）に登った講師・読師等を中心に左右に分かれて対面し問答する建物機能とよく対応します。七世紀末以降でも、陸奥多賀城廃寺［宮城県教委・多賀城町一九七〇］、山城岡本廃寺［宇治市教委一九八七］のように桁行六間の掘立柱講堂が散見します。中央間に本尊を安置する金堂は桁行奇数間が原則で、偶数間の講堂は本来の機能を反映していると考えられます。しかし、現存する八世紀末の唐招提寺講堂や空海が関与した東寺講堂には多くの仏像が祀られており、七世紀後半の近江穴太廃寺再建講堂（七間×四間東西棟）や紀伊上野廃寺講堂（七間×四間南北棟）は身舎中央三間の大半を須弥壇が占めています［滋賀県文化財保護協会二〇〇一、和歌山県教委一九八六］。創建当初の姿か異論の余地もありますが、講堂に仏像を祀ることは、奈良時代の日本では一般的だったと考えてよいと思います［原二〇二〇］。

我国最初の本格寺院である飛鳥寺（法興寺）講堂には「丈六白檀十一面立像又救世観音像深沙大将」を祀っていたとのことですが［「護国寺本諸寺縁起集」］、本来の姿かどうかわかりません。百済大寺は講堂推定地が吉備池に該当し、存否を確認できませんが（図3）、僧房があるので、当然、講堂はあったはずです。百済大寺よりも二年遅れて造営が始まり、同じ山田寺式軒瓦で屋根を荘厳した山田寺は、辛丑（六四一）年整地、癸卯（六四三）年金堂建立、戊申（六四八）年僧居住開始、癸酉（六四九）年右大臣（蘇我石川麻呂）遇害、癸亥（六六三）年塔造営開始、癸酉（六七三）年塔心礎に仏舎利埋納、丙子（六七六）年露盤を上げる（塔完成）、戊寅（六七八）年丈六仏鋳造、乙酉（六八五）年丈六仏開眼と工事が進みました［『上宮聖徳法王帝説』裏書］。六八五年に開眼した丈六仏は、現在興福寺国宝である「旧山田寺仏頭」すなわち文治三（一一八七）年三月九日に興福寺東金堂衆が山田寺講堂から奪い取った金銅製丈六薬師三尊像です［『玉葉』］。山田寺と百済大寺の仏像安置方式が大きく異なるとは思えないので、百済大寺講堂にも丈六仏を祀った可能性があります。天武朝大官大寺、平城京大安寺もそれを踏襲したはずです。つまり、天智天皇が造立した丈六即像二具のうちの一具は、大安寺講堂の本尊だったと考えられます。それでは講堂本尊となる丈六即像はどんな仏像なのでしょうか。

講堂に安置した仏像Ⅱ

『七大寺巡礼私記』は、大安寺五間四面瓦葺の講堂の中尊は丈六阿弥陀坐像で、脇二体とともに「已上近代□也」と注記します。ただし、高四尺ばかりの四王像は「往古之造也」とのことで、古くから大安寺にあった仏像です。『七大寺巡礼私記』が執筆された一二世紀は浄土教隆盛期で、この頃に制作された阿弥陀如来像は膨大量に達します。金堂にあった霊鷲山浄土を再現した創建時の仏像群は、天智が造立した丈六即像以外は寛仁元（一〇一七）年三月一日の大火災で焼失し、大江親通が実見した時は、焼け残った中尊丈六釈迦坐像の左方に、等身金銅阿弥陀坐像と木像脇侍（観音勢至）が安置されていました。まさに、当代における阿弥陀信仰の隆盛を物語っています。寛仁元年に焼失した大安寺伽藍は、寛治四（一〇九〇）年までに金堂・中門・回廊・七重宝塔・東西大門などが修造されますが、講堂再建は若干遅れたようです［太田一九七九］。大江親通が実見した講堂中尊も、この時に造られたものでしょう。

しかし、一一世紀の大安寺再建工事のありさま［寛治八年五月二十九日「官宣旨案（京都御所東山御文庫記録乙五十三）」『平安遺文』一三三一号文書］を参照すると、周辺施設を含めた往時の大安寺伽藍を復興する意欲に充ち満ちています。すなわち「五間四面金堂一宇・東西楽門二宇・五間中門一宇・五十間廻廊・七重宝塔一基・七間倉一宇・九間倉一宇・三間西大門一宇・三間東大門一宇・西面築垣四町瓦覆・三間客坊一宇・七間八幡宮礼殿一宇・鎮守宝蔵十四所」は「去る寛治四年十二月廿四日までに皆ことごとく修造し、官使覆勘《かんしふくかん》の申請手続きも終えた」。その後「又北面築垣三町・東西築垣二町・三間西大門・二十間僧房・同三間築垣」は「いずれも新造し終えたが、まだ官使覆勘の申請手続きは終えていない」。この外に「又七間四面講堂一宇・五間南大門一宇等」は「大国が工事を請け負ったとしても造立するのは困難で、ましてや寺家（大安寺）が独力で建てることはできない」。しかし、寺領である近江国野洲郡南北地や神埼郡東西地、南北浅井群東西庄が「新造計画に応じて造作料を分担し、本願（大安寺復興）を叶えるために官裁を強く請い」、「講堂並仏像及南大門面築垣三町・東西築垣二町」を作り終えるまでの間、「国司の入勘と臨時雑役を停止し、勅使を逓送する」宣旨を左弁官から下してもらったのです。

講堂に安置した仏像Ⅲ

寛治年間の大安寺再建は、第六章で検討する禅院・食堂院・政所院・温室院などを含んでいませんが、中心伽藍を構成する建物だけでなく、四面築垣や大門にまでおよんでいます。めざしたのは、まさに往時の大安寺復興です。とすれば、講堂本尊＝阿弥陀三尊も創建時の姿を踏襲した可能性があります。「『霊鷲山繍仏図』の史的評価」項で述べたように、藤原京・平城京薬師寺の講堂本尊は、持統天皇が造立した阿弥陀浄土変相図（繍仏）です。また、興福寺中金堂本尊は丈六釈迦三尊ですが、講堂本尊は丈六阿弥陀三尊です〔『七大寺巡礼私記』〕。釈迦や薬師を本尊とする金堂に対して、講堂に阿弥陀三尊を安置する方式は、七〜八世紀には少なくないと見てよいでしょう。とすれば、天智天皇が造立した丈六即像のもう一具は、阿弥陀如来像だった可能性があります。

寛仁元年大火災では、金堂本尊の丈六即像（釈迦如来）だけが奇跡的に焼け残りました。大安寺にとって最重要な仏像なので、なんとか救い出したに違いありません。脱乾漆仏という軽量の本尊だったのが幸いしたのです。しかし、皇極女帝の意を汲んで、聖武天皇や道慈・教義等が実現した霊鷲山世界を示す脱乾漆仏像群は焼失しました。天智天皇が造った講堂本尊の阿弥陀三尊即像も、同じ運命をたどったと思われます。

一一世紀末〜一二世紀初頭に再建された講堂本尊の丈六阿弥陀如来と脇二体は近代に復興されたものでしたが、「往古之造也」とされた高四尺の四天王像は、本来どこにあったのでしょうか。『大安寺資財帳』は四天王像を三セット登録しています（D部分）。一つは天智天皇が金堂本尊とともに製作した即四天王像四躯で「在仏殿」とあるので、金堂の霊鷲山世界の脱乾漆仏像群を守護する四天王で、他の脱乾漆仏同様、寛仁元年の大火災により焼失したはずです。あとの二セットは塑像（塼像）で、天平一四年に寺が造り、南中門（南大門）に安置されていました。もちろん南大門も寛仁元年の大火災で焼失しますが、塑像は火災に遭っても稀に残ることがあります。

回廊や門に安置した仏像Ⅰ

康平七（一〇六四）年五月一三日、太宰府観世音寺が焼亡。治暦二（一〇六六）年一一月二八日、瓦葺五間四面講堂を再建供養します。本尊の金色丈六観世音像は新造ですが、丈六不空羂索像は「猛火之底」をまぬがれて「常住之相」で現れ、補修を加えて元のように安置したものでした［『扶桑略記』］。日本の塑像は焼成しないので、野ざらし状態では土に戻りますが、火災に遭うと焼け締まって形が残ることがあります。大安寺南大門跡の発掘においても、北階段の北側から被熱した塑像断片がまとまって出土しました。四天王が踏みつける邪鬼特有の縮毛頭髪の表現をもつ断片を含むことから、『大安寺資財帳』が登録する「埝四天王像二具」と考えられます［奈良市埋文センター二〇〇七］。これで『大安寺資財帳』で仏像を登録した箇所の「南中門」が南大門と確定しました。しかし、第六章で述べる宿直屋を登録した箇所では「南中門」は中門を指します。長大な書類を作ると、同じ用語でも指す対象が不統一になることは、文章作りに慣れた私でもよくあります。

『大安寺資財帳』によれば、南大門には埝四天王像が二具ありました。埝像（塑像）は即像（脱乾漆像）よりも格が落ちるので、即像が仏殿（金堂）に、埝像が南大門にあるのは納得できます。D部分で登録した即像が、金堂において本尊釈迦如来（丈六即像一具）とともに霊鷲山浄土を立体的に表現したことは先述しました。一方、南大門に仁王（金剛力士）像を置くのは一般的ですが、四天王を置く例は寡聞にして知りません。東西南北の四方を守護する四天王像二具八体を、どのように南大門に配置したのか確言できません。いずれにしても、火災に見舞われ八体すべてが砕片化した可能性もありますが、『七大寺巡礼私記』で「往古之造也」とされ、再建講堂に安置されていた四王像が、焼物になって奇跡的に残った創建南大門の四天王像の一部であった可能性は十分考えられます。

南大門の四天王攝像二具と同様、金堂院東西廡廊中門にあった「羅漢画像九十四躯」「金剛力士形八躯」「梵王帝釈波斯匿王毘婆沙羅王像」（D部分後半）も類例がなく、意義づけしにくい仏像です。これらは天平八（七三六）年に聖武天皇が造ったもので、天平一四年に寺が造立した南大門の四天王塑像八躯や金堂の菩薩・羅漢・八部の脱乾漆像二〇躯に先行する仏像群で、その造立には道慈が深く関わっていました。

回廊や門に安置した仏像Ⅱ

『今昔物語』第一一巻（本朝仏法部）第五話「道慈、唐にわたり三論を伝えて帰れるを、神叡、朝にありて試みたる語」には、道慈の影像を大安寺金堂の東登廊第二門の諸羅漢に描き加えたとあり、羅漢画像九四躯は東西廡廊の壁画とわかります。寡聞にして、日本の古代寺院において回廊を壁画で飾る例を知りませんが、唐の長安城内諸寺には先例があります〔張彦遠『歴代名画記』「記両京外州寺観画壁」九世紀〕。入唐僧である道慈は、大唐長安城における寺院をいくつも実見したはずで、それに倣った可能性があります。

羅漢画像が回廊壁画なら、残りの金剛力士形八躯、梵王帝釈波斯匿王毘婆沙羅王像は中門に安置した彫像です。これらも画像とする解説は、『大安寺資財帳』の表記法を誤解しています。しかし、安置した理由や安置方法がはっきりしません。梵王帝釈《ぼんおうたいしゃく》が梵天と帝釈天なら、釈迦如来や不空羂索観音（東大寺法華堂）、盧舎那仏（唐招提寺金堂）を中尊とする脇侍になる例があるので、中門に対称的に安置したと理解してよいでしょう。ただし、梵天・帝釈天を中門に置く他の実例は知りません。また、波斯匿王《はしとく》と毘婆沙羅王《びばさら》が古代インド・コーサラ国のパセーナディ王、マガダ国のビンビサーラ王をさすなら［大和田一九九七］、これも中門に対称的に安置した可能性があります。ただし、古代インド国王像を中門に配した他例も知りません。この四躯二対像を中門両脇に置くと、二躯一対の金剛力士八躯四対が各々の守護神となります。しかし、発掘調査により南大門基壇は東西約一一〇尺、南北約五八尺、中門基壇は東西約一〇〇尺、南北約五〇尺と判明しており、小規模な中門に多くの彫像がひしめいたことになります。前著では、「梵天・帝釈天は守護神として中門正面両脇間、インド国王は礼拝者として背面両脇間に安置し、それぞれ金剛力士二躯が守護」する案を提起しました。『大安寺資財帳』は各像の大きさを明記しませんが、中門規模に合うものならば私案も可能なはずです。

なお、古代インド国王に関する説話は『観無量寿経』等を典拠としますが、周知度を理解するには、後世の『今昔物語』天竺編が参考になります。波斯匿王は首都・舎衛城（シューラヴァスティ）が祇園精舎に近いこともあり、主人公にならなくても登場する説話が多い。一方、王舎城を拠点とし、息子の阿闍世王に殺害された毘婆沙羅王（頻婆娑羅王）は、息子より登場場面が少ない。両国王は釈迦と同時代に活躍し、釈迦に帰依した国王として描かれます。大安寺中門に安置した理由はそこにあると考えます。しかし、廡廊の羅漢画像も、中門の梵天・帝釈天・インド国王像も、他の日本古代寺院には類例がありません。それを創案したのが道慈です。

第四章　道慈の「改造大寺」とは何か

道慈が大安寺を改造したとする史料

前章末で解説した回廊・中門・南大門にある画像や彫像には大安寺の独自性が強く、天平八〜一四年という製作年代から、道慈が関与したことは確実です。天平八年二月七日には、律師道慈法師は六人もの付人（扶翼童子《ふよくどうじ》）を得ており、同年七月には、元正太上天皇の寝膳不安に対処するために、都下四大寺（大安・薬師・元興・興福寺）で七日行道をおこなっています［『続日本紀』］。天平元年に律師となった道慈は、天平九年一〇月以降、天平一〇年七月以前に律師を辞任しており［中井一九七八］、天平八年は平城京の筆頭寺院である大安寺と、その施設充実に関与した道慈が絶好調だった時期にあたります。

道慈卒伝［『続日本紀』天平一六年一〇月二日条］には、「大安寺を平城京に遷し造る時、天皇は法師に勅して事業を担当させた。道慈は工巧が絶妙で、皆が構作形製を模範とし、所有匠手で感服しない者はいなかった（属遷造大安寺於平城、勅法師、勾当其事。法師尤妙工巧、構作形製、皆稟其規摹。所有匠手、莫不歎服焉）」とあることから、大安寺造営に大きな功績があったと評価され、建物施設に道慈の関与工夫を想定する意見が一般的です［田村一九六〇、岡田一九八四、森一九八九、森下二〇一六］。しかし、本章で論証するように、道慈が大安寺の建物施設の造営に関与する余地はほとんどなく、画像・彫像やそれをめぐる法会など、大安寺における新たな信仰形態を推進したと考えられます。

『扶桑略記』天平元（七二九）年条には「聖武天皇は先帝の遺詔を遵守し、大官大寺を改造したいと考え、広く綸命をくだして良工を探し求めた。ここに沙門道慈が天皇に奏上した。自分は道を問い法を求め、唐から帰国した。ただ一つ、大寺を造営したいという思いがあって、唐・西明寺《さいみょうじ》の結構之体《けっこうのてい》を描いた図をこっそり写し取った。これを聞いて天皇は、これで私の願いがかなうと大いに喜び、道慈に勅して、大寺を改造させた。（天皇欲改造大官大寺、為遵先帝遺詔也。遍降綸命、捜求良工。爰有称沙門道慈者、奏天皇曰、道慈問道求法、自唐国〇来、但有一宿念、欲造大寺、偸図取西明寺結構之躰。天皇聞大悦、以為我願満也。勅道慈、改造大寺）」とあり、それに続けて「縁起云」としてインド（中天竺）舎衛国の祇園精舎は兜率天《とそつてん》の内院を模倣し、大唐西明寺は祇園精舎を模倣し、本朝大安寺は唐の西明寺を模倣したと述べています。同じ記事は『寛平縁起』にもあり、大安寺伽藍の由来を唐の西明寺に求める説の根拠となっています。

大宝二（七〇二）年に粟田真人等に同行して入唐した道慈が帰国したのは養老二（七一八）年です（卒伝）。一方、遷都にともない平城京左京六条四坊の地に大安寺が移転したのは霊亀二（七一六）年五月一六日で［福山一九三六］、道慈が「改造大寺」に関与するようになったのが天平元年とすると、平城遷都から一九年、大安寺造営開始から一三年、帰国から一一年が経過しています。少なくとも、道慈が大安寺造営に当初から関与できなかったことは確実です。大安寺伽藍の最大の特徴は、東西両塔が南大門の南の左京七条四坊一・二・七・八坪にあって、塔院を形成する点にあります。『大安寺資財帳』が成立した天平一九年時点で、塔院敷地は確保されていますが、塔の建設工事は未着手です。正式な報告書は未刊ですが、西塔跡の発掘調査成果によれば、創建は平安時代初期（八世紀末〜九世紀初頭）までくだるとのことです［奈良市埋文センター二〇〇七、森下二〇一六］。

塔院地を確保したのは道慈か

そのため、七条四坊に塔院地等を確保したのが道慈とする説があります。これは文武朝大官大寺が単塔伽藍なのに、大安寺が双塔伽藍なのは唐の西明寺に倣ったのだとする田村吉永さんの説にさかのぼります［田村一九六〇］。日本の双塔伽藍は新羅や唐に由来しますが［上原二〇一五］、東西塔院が独立する多院式双塔伽藍［向井二〇一九］は新羅にはありません。道慈が結構之躰を偸図したという大唐西明寺は、長安城延康坊の西南隅に立地します。同地の発掘では主院殿跡や、東西南廊を検出していますが、延康坊内の南に東西塔院を置く余地はありませんでした［中国社会科学院考古研究所西安唐城工作隊一九九〇］。大安寺における東西塔院は、西明寺に倣ったとは考えられません。一方、大安寺で中心伽藍と離れて東西両塔院を設けた理由を、塔は落雷による火災原因となるので、文武朝大官大寺焼亡の苦い経験を踏まえ、道慈が塔院を分離したとする説もあります［服部一九七二］。この説では、大安寺の東西塔院は西明寺と無関係です。いずれにせよ、問題は七条四坊の塔院地等を、天平元年以降、道慈が新たに確保したとする説の是非にあります。

もし、天平元年以降、資財帳が成立した天平一九年以前、あるいは道慈が没した天平一六年以前に、道慈の提言で塔院地等が新たに加わったのなら、それ以前の七条四坊は一般宅地あるいは空地だったことになります。平城京条坊の敷設年代や宅地の班給年代を示す史料はありませんが、位に応じてシステマティックに班給しているので、遷都後二〇年近くもの間に、まったく手つかずで放置されていたとは考えられません。もし、天平元年以降に七条四坊が大安寺に帰属したのならば、同地を発掘すれば、大安寺に先行する条坊・宅地遺構を検出できるはずです。とくに東西両塔の位置は平城京七条条間北小路に該当し、塔跡を発掘すれば、大安寺に帰属する以前の先行条坊跡は確実に検出できます。しかし、西塔・東塔跡の発掘では、先行条坊跡はもちろん先行宅地跡もまったく検出されていません［奈良市教委二〇〇四〜二〇〇九・二〇一五・二〇二〇］。

また、東塔院の東にある七条四坊九坪は、従来から倉垣院にあてられています。一九七七年に、同坪を南北に縦断するトレンチを二本設け、三棟の総柱掘立柱建物を検出しています［橿考研一九七八］。総柱建物が倉庫跡なら、予測通り倉垣院だった可能性があります。建物の分布はまばらで、「倉垣院にふさわしい建物は検出されなかった」という評価もあります［上野一九八四］が、『大安寺資財帳』が登録した倉垣院の倉庫は板倉二口、甲倉一三口だけです。火災を配慮して倉庫間の距離を保ったとすれば、塔院の姿と整合します。しかも、広い面積を発掘したのに、先行条坊や宅地の痕跡は検出されていません。つまり、七条四坊は道慈の提案によって天平元年以降に大安寺に帰属したのではなく、大安寺が平城京に移った当初から大安寺寺院地として確保されていたと考えられます。

道慈は大安寺の中心伽藍を改造したか

塔院地獲得以外に、大安寺中心伽藍自体に道慈による「改造大寺」を認める説もあります。すなわち、金堂・講堂・中門・回廊からなる大安寺中心伽藍は文武朝大官大寺の設計計画を基本的に踏襲し、東西塔院を別院として設ける以外に、回廊を複廊にする、長大な回廊を僧房にするなどの変更を加えており、それにもとづく柱間寸法などの調整を道慈の功績と考えるのです［森下二〇一四・二〇一六］。大安寺の設計が文武朝大官大寺を基本的に踏襲したという指摘は重要かつ示唆に富みます。しかし、発掘遺構にもとづく具体的な「改造大寺」状況を指摘できない以上、東西塔院の設定と同様、大安寺の設計は霊亀二年の平城遷都当初から計画されていたと考えるべきでしょう。

少なくとも、造営開始から一〇年以上、当初計画にもとづく中心伽藍工事が進行していたのに、道慈による「改造大寺」着手以前の痕跡が遺構としてまったく残らないはずがありません。40頁で述べたように、文武朝大官大寺は六九〇年代半ばに造営がはじまり、七〇一年までに金堂・講堂は竣工、中門・塔は瓦を葺き終え、回廊の瓦を葺いている最中に焼亡しました。焼亡年が七一一年ならば、その間、十数年が経過しています。つまり、七世紀末～八世紀初頭には、大規模寺院であっても、十数年あれば中心伽藍はほぼ形が整うのです。大安寺造営開始から一〇年以上も経った時に、道慈が「改造大寺」に着手し、それが匠手がみな感服するほどの際だった建物施設の大改造だったなら、掘立柱の建替えや礎石の据え直しなど、発掘によって確認できる先行工事の痕跡が必ず残るはずです。具体的にその痕跡が指摘できない以上、道慈の「改造大寺」とは、中心伽藍の建物施設の改変事業ではあり得ないことになります。

大安寺式軒瓦は道慈の瓦ではない

道慈が大安寺の建物施設の改造に、ほとんど関与しなかった事実は、出土軒瓦からも論証できます。大安寺で出土する奈良時代（八世紀）の主要な軒瓦には、a藤原京の文武朝大官大寺と同笵の大官大寺式軒瓦（六二三一－六六六一）、b平城宮式軒瓦とよく似た大安寺独特の平城京系軒瓦（六三〇四D－六六六四A）、c大安寺特有の大安寺式軒瓦があります（図6）。aは大官大寺造営官司に付属する造瓦所（造大官大寺司造瓦所もしくは造大安寺寮造瓦所）の製品で、『大安寺資財帳』が記す大和国添上郡瓦屋所（未発見）で作った可能性が高く、大安寺出土軒瓦の一割程度を占めます。bは山背国相楽郡棚倉《たなくら》瓦屋（井手町石橋瓦窯）の製品で、大安寺出土軒瓦の一～二割前後を占めます。これに対し、もっとも主体的なのがcで、とくに六一三八C・E－六七一二Aは大安寺出土瓦の四割近くを占め、小型の六一三七A－六七一六C・Dを含めれば、過半数が大安寺式軒瓦です。そのために道慈の「改造大寺」事業を大安寺式軒瓦と結びつける議論がある一方で、天平年間にさかのぼる瓦当文様とは考えられないという指摘もありました［山本一九八四］。これに対して、大安寺式軒平瓦の断面形がいずれも段顎であること、平城宮式軒平瓦においては天平一七年以前に段顎はほぼ一掃され曲線顎が主流となる事実を踏まえ、大安寺式軒瓦の年代を道慈の「改造大寺」事業の時期に当てる説は有力でした［奈文研一九九一］。

しかし、発掘調査が最も進んでいる僧房跡出土軒瓦を整理した中井公さんは、『大安寺資財帳』

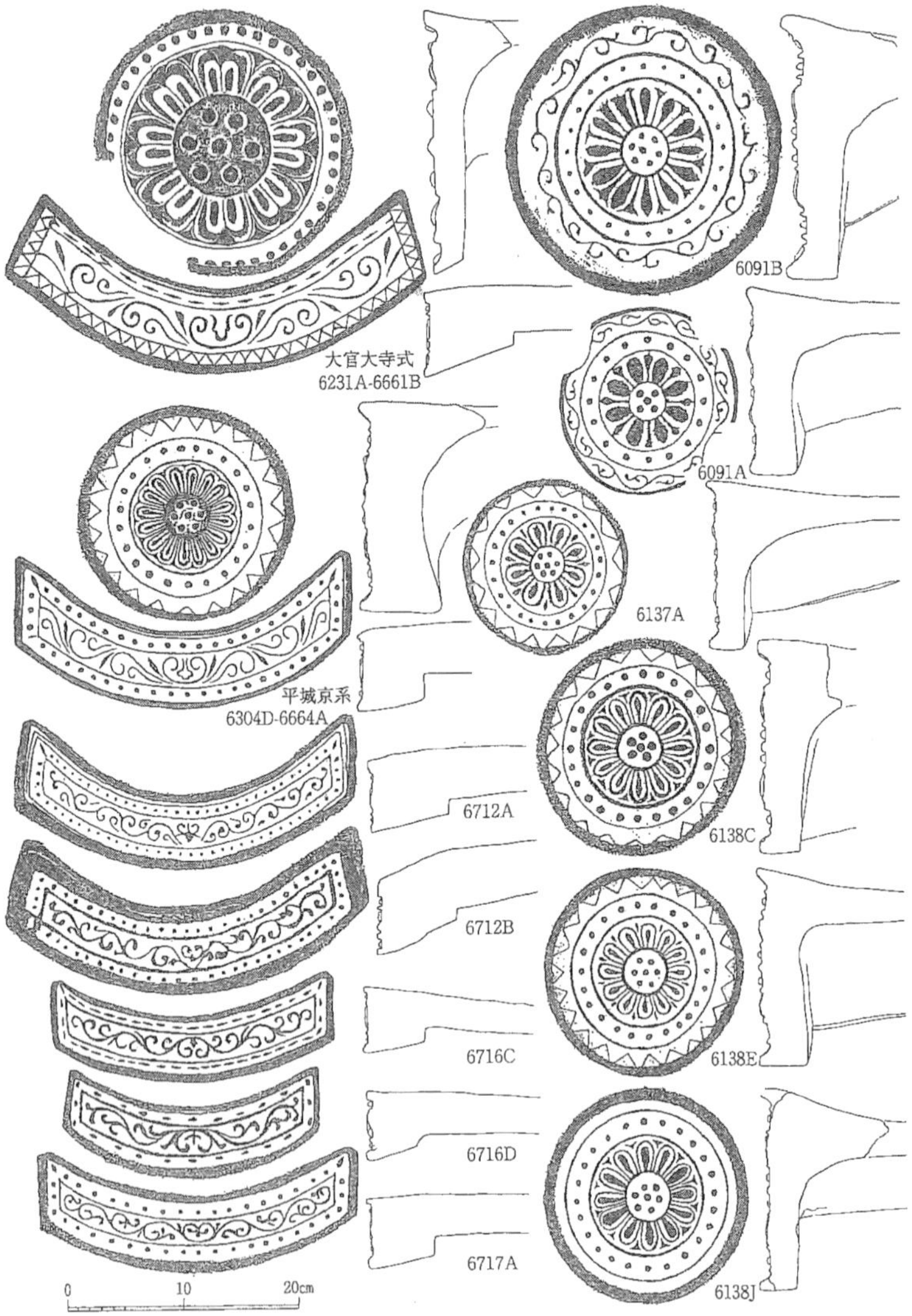

大官大寺式
6231A-6661B
6091B
6091A
6137A
平城京系
6304D-6664A
6712A
6138C
6712B
6716C
6138E
6716D
6717A
6138J
0
10
20cm

で僧房を構成する一三棟の太房《たいぼう》・中房《ちゅうぼう》・小子房《しょうしぼう》が「並蓋檜皮」と記録されている事実、および出土状況から僧房跡出土の軒瓦は、檜《ひ》皮葺《わだぶき》屋・根の棟部分だけを覆った甍棟《いらかむね》ではなく総瓦葺屋根を構成していたと考えざるを得ない事実を踏まえ、大安寺僧房は天平一九年以降に総瓦葺になったと論定しました［中井一九九七］。大安寺式軒瓦は道慈没後に大安寺で多用された瓦だったのです。つまり、瓦の年代観においても「改造大寺」にはげむ道慈に結びつくものはなく、大安寺の伽藍配置や建物施設の細部を、道慈の創意工夫の結果と考える物的証拠もまったくないのです。

東寺造営に関与した空海の場合

なお、官の直営工事として始まった都城内寺院の造営途上で、著名な有力僧侶が事業を受け継いだ例として、平安京の東寺（教王《きょうおう》護国《ごこく》寺《じ》）造営に空海が関与した事実があります［角田監修一九九四］。東寺造営は延暦一五（七九六）年に従四位上藤原朝臣伊勢人を造東寺長官として始まります［『扶桑略記』］。『帝王編年記』によれば、藤原伊勢人は西寺造営も担当しています。西寺の造営は、その後、延暦二三年の坂上田村麻呂、大同三（八〇八）年の藤原鷹養、弘仁元（八一〇）

図6 大安寺出土の奈良時代の主要軒瓦（約 1/8）［中井 1997］
1993 年までの大安寺伽藍地のおもな発掘で出土した奈良時代の軒瓦で主体的なのが大安寺式 6138C･E と 6712A で、軒丸・軒平瓦とも 40％以上を占める。18％ ･12％を占める小型瓦 6137A と 6716C･D を含めれば、過半数が大安寺式軒瓦となる。外区に唐草がめぐる軒丸瓦 6091A･B、および同じ単位文様の唐草を配した軒平瓦 6717A は大安寺式軒瓦としてよく引用されるが、出土量は10％に満たない。一方、大官大寺所用瓦 6231-6661 は、大安寺では軒丸瓦Ａ種･軒平瓦Ｂ種が主体で出土量の 10％前後を占め､大安寺造営に際して棚倉瓦窯(京都府井手町石橋瓦窯) で生産した平城宮系軒瓦 6304D-6664A は、各 21％ ･12％を占める（拓本・実測図は奈文研 1996 より抽出）。

年の田中清人、弘仁二年の三島年継が造西寺長官となって継続しますが〔『日本後紀』〕、東寺は弘仁一四（八二三）年一〇月に真言宗僧五〇人の専住が認められ〔『類従三代格』巻二、経論并法会請僧事〕、翌天長元年六月に東寺を師資相承《ししそうしょう》道場《どうじょう》として永く真言弘伝本所にする勅がくだり、天長二年四月に東寺講堂を建て、仁王経曼荼羅、聖衆五仏五菩薩、五大忿怒、梵王、帝釈、四天王などを安置します〔『帝王編年記』巻一三〕。空海の「立体曼荼羅」です〔東博二〇一九〕。

東寺出土瓦で数多い「左寺」銘軒平瓦と複弁八葉蓮花文軒丸瓦とが、空海の瓦です。最近、西寺講堂跡が発掘され、東寺講堂がひとまわり大きく改造されたことが明らかになりました〔二〇二〇年一〇月二三日新聞報道〕。また、東寺五重塔も空海が建てました〔『性霊集』巻九「奉造東寺塔材木曳運勧進表一首」〕。しかし、東寺の伽藍配置（163頁・図15）は、朱雀大路を中軸として西寺とほぼ対称です。つまり、東寺と西寺を一連の計画で建てる基本方針は、空海が事業を引き継いだ後も変更されていません。空海の独自性は建物施設ではなく、講堂の構造とそこに安置した仏像群に発揮されたのです。寺院の主役は安置する仏像で、建物は容器にすぎません。寺院に僧侶が偉大な貢献をしたという評価が、建物施設に関わる場合もあるでしょう。しかし、建物施設の充実はむしろ檀越の仕事で、僧侶の仕事は本尊や法会などの信仰形態と深く関わります。道慈と大安寺の関係も、その視点から再検討が必要です。

道慈を「无妙工巧」と讃えたのは建築技術者か

聖武天皇をはじめとする奈良時代人が「法師尤妙工巧」と道慈を褒めたたえたとすれば、道慈がおこなった「改造大寺」は、誰もが気づく目立った工夫です。少なくとも、柱間寸法など、現代の考古学者や建築史学者がこだわる建造物における細部の違いに、「改造大寺」の成果を想定するのは、まったく見当外れです。

そもそも、『続日本紀』の「所有匠手、莫不歎服焉」記事を根拠に、道慈が建築技術に精通していたと考えるのは誤解です。「番匠」の語に慣れた私達は、「匠」と言えば大工さんを思い浮かべます。しかし、八世紀初頭に成立した『職員令』で「営構木作、及採材事」を担当する木工寮工人は「工部廿人、使部廿人」で、「匠」はいません。また、『営繕令』で私第宅や京内大橋・宮城門前橋・津橋道路・官船などの木工に関わる営造・修理を規定した項目にも「匠」はいません。しかし「営造軍器」項では、製品に「年月及工匠姓名」を刻む規定があります。つまり、八世紀初頭には、建築技術者をとくに「匠」と呼ぶことはなく、武器製作などの高度な技術者のなかに「匠」がいたのです。それは『賦役令』において、課役・雇用労働者を純粋な肉体労働者＝役丁と技能労働者＝匠丁に分けた場合にも当てはまります。とくに斐陀（飛騨）国では、庸調免除に代わって「毎里点匠丁十人」と規定し、『延喜木工寮式』における「飛騨工」「飛騨匠丁」の先駆となります。飛騨の匠といえば「左甚五郎」、左甚五郎といえば「日光東照宮の陽明門」が頭に刷り込まれている現代人には「飛騨匠」は建築技術者ですが、古代のイメージとは違います。

天平期の匠手とは誰か

八世紀前半における「匠」概念を端的に示すのが内匠寮です。内匠寮は天皇家・皇族に直接関わる手工業生産部門を担当した役所で、中務省が管轄しました。神亀五（七二八）年八月二九日に令外官（令が規定する以外の役所）として成立し、「使部已下雑色匠手」が数多く所属しました［『続日本紀』］。天平一七（七四五）年の食料請求文書（「内匠寮大粮申文」『大日本古文書』第二巻四五八頁）によれば、「番上匠手一七人、金銀銅鉄手一八人、木石土瓦歯角匠手一〇人、織錦綾羅手一二人、織柳箱手二人、国工六人、造菩薩私司匠三〇人」が内匠寮に所属する具体的な工人や匠手です。なかに番上匠手もいますが、実体は仏師も含めて各種素材を扱う様々な手工業生産者が内匠寮の構成メンバーでした。

このような各種手工業生産者がチームとなって需要に応える役所は、令が規定する手工業部門にはありません。私は飛鳥寺に関わる生産組織に起源し、天武朝を中心とする富本銭鋳造をはじめとする金銀、鉄、銅、ガラス、玉、粘土、木、漆、皮革など各種素材による様々な製品を広く飛鳥藤原京地域に供給した飛鳥池遺跡が内匠寮へと発展したと考えています［上原二〇〇六］。なお、造宮省や勅使省（いずれも営造部門の令外官）の技術工人を「雑色匠手」と呼ぶ例がありますが［『続日本紀』延暦元（七八二）年四月一一日条］、一般的な用語ではありません。道慈の仕事を見て「莫不歎服焉」だった「所有匠手」とは、まさに聖武天皇配下の内匠寮工人達だった可能性があります。たとえ「匠手」が内匠寮の工人以外も含む概念であったとしても、彼らが感嘆した道慈の「尤妙工巧、構作形製」が建物施設に限定できないことは確実です。

大安寺に道慈が関わった時期が遅れ、改造した建物施設を指摘できない以上、道慈の「尤妙工巧、構作形製」ぶりは、仏像や仏画において発揮されたと考えられます。回廊の羅漢像壁画や中門の金剛力士形八躯、梵王帝釈波斯匿王毘婆沙羅王像などの他寺にはない新工夫が、その一つに該当することは言うまでもありません。インド国王像を中門に安置すれば、祇園精舎を彷彿とさせます。道慈が「改造大寺」において大唐西明寺をモデルとし、大唐西明寺は祇園精舎を模倣したという説話の本源はここにあります。インド建築と中国・日本建築との違いを古代日本人が知らなかったとしても、大安寺が祇園精舎と建築的に親近関係にあると信じていたとは思えません。以下、道慈が関わった仏像・仏画を含めて、大安寺に関わる道慈の功績を再整理します。

道慈の功績Ⅰ――寺領獲得

道慈による大安寺への功績は、回廊壁画や中門彫像群にとどまりません。『大安寺資財帳』は、道慈が大安寺を主導した天平元年〜一六年に、新たに寺のものとなった資産を登録しています。『大安寺資財帳』は、天皇が納賜した資産に関しては、年代や由来を特記しますが、七四七年「法隆寺伽藍縁起并流記資財帳」や八九〇年「広隆寺資財交替実録帳」に比べて、資産の帰属年代や由来を記録することに熱心ではありません。しかし、道慈に関わる資産を特記するのは、道慈没後わずか三年で『大安寺資財帳』が成立したからではなく、道慈の功績が大安寺にとって偉大かつ不可欠だったことを意識したのでしょう。

道慈が大安寺にもたらした資産のなかで、強調すべきは寺院経営の基礎になる墾田地です。『大安寺資財帳』399〜469行が登録する墾田地・水田には、癸酉（六七三）年に天武天皇が納賜した墾田地九三二町、己亥（六三九）年に舒明天皇が納賜した水田二一六町九段六八歩、天平一六

（七四四）年に前律師道慈法師と寺主僧教義等が、聖武天皇に申請して大安寺に納賜された今請墾田地九九四町があります。つまり、天皇家が納賜した墾田地・水田のなかで、もっとも広い面積を、道慈・教義等が獲得したのです。今請墾田地の内訳は、伊勢国六四四町、播磨国一五町、備前国一五〇町、紀伊国五町、近江国一〇〇町、伊賀国一〇町、美濃国四五町で、伊勢国が六割弱、近江国が一割弱を占めます。一方、舒明天皇が納賜した水田は、大倭国六〇町三段三〇〇歩、近江国一五六町五段一一八歩で、近江国が七割強を占めます。さらに天武天皇が納賜した墾田地は、紀伊国が一七〇町、若狭国が一〇〇町、伊勢国が六六一町で、伊勢国が七割強を占めます。つまり、大安寺が所有する墾田地・水田は、舒明朝の大和・近江国、天武朝の紀伊・伊勢・若狭国、聖武朝の近江・紀伊・伊賀・伊勢・美濃・播磨・備前国と、近畿地方からその周辺部へと拡大しますが、得た所領は伊勢・近江国がもっとも多く、寺領の拡大方向はおもに東国でした。

大安寺領が東国に多い理由

前著で述べたように、古代の寺領には、寺院隣接地に集中する寺辺地型所領と、遠国に散在する荘園（＝遠隔地型所領）とがあります。寺辺地型所領は原則として檀越氏族が開発した私領に起源します。八七三年「広隆寺資財帳」や八九〇年「広隆寺資財交替実録帳」が登録する「水陸田」はその典型ですが、両者を比較すると、寺院地を中心とする一円的な寺領に改編する動きがあります［上原二〇二〇］。寺辺地型所領も安定不変の寺領ではなかったのです。これに対し、遠隔地型所領の多くは天皇家や有力貴族が納賜したもので、寺院の運営組織である三綱が維持管理して、安定した寺院運営資金を得るのは容易ではなかったと思います。『大安寺資財帳』は墾田地・水田が所在する国郡郷名と範囲を示す四至の地物を登録します（四至記載）が、現地で各々を維持管理した組織に関する記録はありません。後発の東大寺が得た寺領は、越前・加賀・越中国など大安寺領よりもさらに遠隔地ですが、関連文書や開田図などが残り、開田経緯や経営に関する研究成果やそれを踏まえた発掘調査成果もあります［白山市教委二〇一六］。

大安寺の遠隔地型所領が伊勢・近江国に集中する意味は明確ではありません。しかし、壬申の乱における天武天皇や天武軍の径路、藤原広嗣の乱に際しての聖武天皇の東国行幸が伊勢・美濃・近江国であることは偶然ではないと思います。天武・聖武朝の行軍・行幸を契機に政治的影響力が強まり、大安寺領として納賜できる形が整ったと考えるのです。『大安寺資財帳』395〜398行が登録する別の有力な経営資金である「論定出挙本稲参拾万束」の分担国、すなわち毎年の正税から出挙分として大安寺に稲を提供する国は、遠江・駿河・伊豆・甲斐・相模・常陸等国で、いずれも大安寺の墾田地や水田が分布する国より、さらに東の国です。三〇万束の論定出挙も天武天皇が納賜したもので、天武朝における東国重視・東国依存の傾向を反映しています。

一方、日常的な経営資金より営繕資金的性格が強い食封は［竹内一九三二］、三〇〇戸が舒明朝、七〇〇戸が天武朝に納賜されたもので、土佐・備後・播磨・丹波・尾張・伊勢・遠江・信濃・相模・武蔵・下野・常陸・上総等国で、三割が西日本、七割が東日本に分布します。この配分が偶然でなければ、土佐・備後・播磨・丹波国の食封は舒明朝、それ以外は天武朝に納賜された可能性があります。舒明・皇極朝の百済大寺・百済宮の造営工事においては、「西の民は宮を作り、東の民は寺を作る（西民造宮、東民作寺）」〔『日本書紀』舒明天皇一一年七月条〕。大寺造営は近江と越の丁、宮室造営は遠江以西、安芸以東の丁が担当しました（朕思欲起造大寺。宜発近江與越之丁。＜中略＞然東限遠江、西限安芸、発造宮丁）〔『同』皇極天皇元年九月条〕。つまり、緊急性が高い宮殿造営には、西日本の丁が動員されたのです。

道慈の功績Ⅱ――大般若会創始

匠手が感嘆した道慈の「无妙工巧」の技は、仏画や仏像に発揮されました。仏像・仏画は法会の主役です。天平九（七三七）年に、道慈の提言で大安寺における国家的法会として認可されたのが大般若会です。『大安寺資財帳』はこれを道慈の功績と明記しませんが、正史『続日本紀』から認可の経緯がわかります。大般若会とは漢訳仏典のなかで最大を誇る大般若経一部六〇〇巻を読誦するもので、古代日本では大宝三（七〇三）年三月一〇日に藤原京四大寺（大安・薬師・元興・弘福寺）において大般若経を読ませ、一〇〇人に得度させたのが初見です。四大寺におけるこの前後の法会は、いずれも持統太上天皇の菩提を弔うもので、大般若経読誦も同じ目的と考えられます。また、神亀二（七二五）年正月一七日には、僧六〇〇人を宮中に招き、災異を除くために大般若経を読誦させています。この前後には天文異変が多く記録され、同年九月二二日の詔では三〇〇〇人の出家、左右京および大和国部内諸寺における一七種の経典転読により災異除去を指示します。これらは、いずれも臨時的な法会で、恒常的な年中行事ではありません。

大安寺大般若会は、道慈が伽藍に災事がないように、私的に浄行僧を招いて毎年、大般若経を転読していたことに始まります。そのため雷が鳴っても災害はなかったと言います。そこで以後は、諸国が貢進する調庸各三段を布施《ふせ》として僧一五〇人を招き、大般若経を転読し、護寺鎮国・平安聖朝を祈願し、その功徳を永く恒例とすることを願い出て、勅許を得たのです（律師道慈言、道慈奉天勅、任此大安寺修造以来、於此伽藍、恐有災事、私請浄行僧等、毎年、令転大般若経一部六百巻。因此、雖有雷声、無所災害。請、自今以後、撮取諸国進調庸各三段物、以充布施、請僧百五十人、令転此経。伏願、護寺鎮国、平安聖朝、以此功徳、永為恒例。勅許之）［『続日本紀』天平九年四月八日条］。

雷の災害とは、おもに塔への落雷が原因の火災です。文武朝大官大寺が焼失した原因ははっきりしませんが、避雷針が未発達の時代は、寺院焼亡の一番の理由でした。文武朝大官大寺が和銅四（七一一）年に焼亡したならば、道慈は入唐中で直接目にできませんでしたが、「改造大寺」を命じられた天平元（七二九）年なら、多くの目撃者からその惨状を聞く機会があったはずで、それが大般若会を創始する理由となったと思われます。

大安寺大般若会の舞台装置

大般若会の舞台装置や必要な資財は『大安寺資財帳』332〜340行に明記されています。

合大般若会調度
額捌条　一条仏殿前繍　一条中門　二条東西小門　四条東西廡廊
仏懸緑綱肆条　緋絁帳壱条

紺布帳陸張　　細布帳壱張
布縄壱拾参条　仏懸横木弐枝
経台弐足　　　高座弐具
机陸足　　　　礼盤坐弐具
火炉机弐足　　布巾参条
簾弐枚

大般若会の舞台となるのは仏殿（金堂）・中門・廡廊（回廊）からなる金堂院です。以下、想像をまじえて描写すると、仏殿前面と中門、廡廊の東西に開く小門、および廡廊の四隅に寺額を掲げ、法会の場を結界します。寺額は布製です。本尊釈迦如来の前に置いた机六足に花を供え、火炉で香を焚きます。導師は東西にわかれて高座や礼盤に座して法会を主導し、僧たちは大般若経六〇〇巻を経台で次々と転がして転読します。本尊の前に横木二枝をセットし、横木に結んだ緑綱四本を皇族・貴族をはじめとする法会参加者が握って功徳にあずかります。法会参加者が廡廊内で囲まれた広場に参集する庭儀の典型です。緋絁帳や紺布帳・細布帳・布縄・簾は、広場や控え空間となる廡廊を、機能や法会の段取りにしたがって区画するカーテンの役割を果たしたのでしょう［上原二〇一四］。

『大安寺資財帳』110～331行においては、動産財は金銀銅鉄などの地金や製品、交換財、金属容器をはじめとする供養具・食器・調理具・計量器、無機顔料・有機染料や薬品・香料、灌頂幡などの布帛製・金属製の荘厳具、敷物・坐具・袈裟等の織物、厨子・韓櫃・皮筥・草筥等の容器、屛風・机等の調度品、如意・脇息・経台・袋や覆い等の僧の持物や布帛製品、鎧・大刀をはじめとする武器・武具、玉類など、材質や用途によって分類・登録します。そのなかで「大般若会調度」のような特定の法会で使用する動産財を一括登録するのは異例です。おそらく機械的に列記した動産財が、納賜や購入・自給など大安寺に通有の手段や資金で入手した資財であるのに対し、「大般若会調度」は諸国が貢進した調庸布という国税による国家的な法会であるという認識が、特別枠の資財として資財帳に登録させたのだと思います。そうした国庫補助事業を実現したのは、道慈の政治手腕でした。

道慈の功績Ⅲ——釈迦信仰整備

金堂院で開催された大般若会の中心本尊は、天智天皇が造立した丈六即像（釈迦如来）です。本尊の周囲には「即四天王像四躯」「即宍色菩薩二躯」「即羅漢像十躯」「即八部像一具」が安置され、皇極天皇の「霊鷲山繡仏図」が、脱乾漆仏によって立体的に表現されていました。四天王像以外の脇侍菩薩二体、羅漢一〇体、八部衆八体は天平一四年に寺が造ったと『大安寺資財帳』は明記しており、霊鷲山浄土を最終的に立体群像化したのは道慈だったことがわかります。大般若会が国家的法会になった五年後のことです。一方、廡廊の羅漢図や中門の梵天・帝釈天・インド国王像やそれを守護する金剛力士像は、大般若会が国家的法会となる前年に、聖武天皇が造坐していますつまり、大安寺金堂院の仏画や仏像群は、ほぼ大安寺大般若会が国家的法会となったのを契機に整備されたのです。

大安寺大般若会は四月六・七日に開催され、翌日の釈迦の誕生日（灌仏会）には「金涅灌仏像一具」がセットされました。ただし、大安寺の金涅灌仏像がいつ作られたのか記録されていません。灌仏会は飛鳥寺本尊が完成した推古天皇一四（六〇六）年に、寺院における年中行事と位置づけられており［『日本書紀』］、誕生仏も古くから多くの寺院が保有したはずです［上原二〇一四・二〇二〇］。大安寺においても、古くからおこなっていた灌仏会を、大般若会が国家的法会となったことを契機に、構成イベントの一つとして取り込んだと考えてよいでしょう。つまり、誕生仏も金堂本尊である天智天皇が造立した丈六即像も大安寺の伝統的な信仰対象で、道慈たちが新たに加えた釈迦の眷属を示す即像群も、その伝統を踏まえていました。しかし、第三章「天平期の繍仏図二帳」項で述べた「大般若四処十六会図像」は、大般若経と本尊の関係を説明する新たな視点にもとづいた図像です。すなわち、釈迦が大般若経六〇〇巻を四箇所、一六回に分けて説いたことを示す図像で、大般若会と本尊との関係を説明するものでした。

『大安寺資財帳』は「大般若四処十六会図像」が、天平一四（七四二）年に、前律師の道慈法師と寺主僧教義等によって奉造されたと明記しています。つまり、天平八年の廡廊壁画と「金剛力士形八躯」「梵王帝釈波斯匿王毘婆沙羅王像」からなる中門群像製作に続く、霊鷲山浄土を立体化する金堂の即像群と同時期の所産です。「大般若四処十六会図像」の類例やその系譜は不明ですが、入唐した道慈が中国で学んだ図像と考えられます。それが大安寺大般若会を国家的法会に位置づける意味を説くものなら、衆目を集めたに違いありません。しかも、釈迦が大般若経を説いた四処には、王舎城の鷲峯山（霊鷲山）、舎衛国の給孤独園（祇園精舎）が含まれています。

王舎城も舎衛国も、中門に安置されたインド国王像に対応します。つまり、道慈は皇極天皇が考えた霊鷲山浄土を即仏像群で立体的に表現しただけでなく、大安寺金堂院自体を大般若会施行の場として再編したのです。道慈が「无妙工巧」と賞賛された理由の一つはここにあると考えるべきでしょう。

道慈の功績Ⅳ――華厳導入

天平一四年に道慈と教義等が作成した仏画は、「大般若四処十六会図像」だけではありません。同じ大きさの繍仏「華厳七処九会図像」をセットで作成しています。新訳『華厳経』にもとづく七処九会における如来説法場面を表わした図像で、意匠的にも「大般若四処十六会図像」と似ているはずです。しかし、道慈は皇極天皇以来の釈迦浄土（霊鷲山浄土）信仰を乗り越えるものとして、この図像を作成した可能性があります。華厳宗といえば東大寺を想起しますが、唐で学び、天平一二年に良弁の要請により日本で初めて華厳経を講じて「本朝華厳宗第一祖」と評された審祥は、大安寺の居住僧です。また、『大安寺資財帳』130行はイベント費に「華厳分銭十八貫文」を計上します。東大寺創建以前に大安寺で華厳会をおこなったことは確実で、「華厳七処九会図像」はその本尊でした。

道慈の没後、大安寺は華厳宗の中心本尊となる盧舎那仏《るしゃなぶつ》造立に乗り出します。すなわち、天平感宝元（七四九）年の「大安寺造仏所解」によれば、東大寺大仏造立と並行して大安寺造仏所は盧舎那仏の造立を進めていたことが明らかです。

大安寺造仏所解　申請丹事

白青七両

右既未給

緑青一斤十四両

丆 右依荒不用

白緑八両

右依色悪不用

以前、奉造　盧舎那仏像料、今応請丹、買如前、謹解、

天平感宝元年潤五月十一日中務少録従七位下 中臣丸連諸麻呂

玄蕃頭従五位上 市原王

外従五位下図書助守部連牛養

（『大日本古文書』第三巻二三七・八頁）

つまり、盧舎那仏奉造に使う白青・緑青・白緑の顔料に未給、粒子が粗い、色が悪いなどのトラブルがあり、改めて丹の購入を申請しているのです。この盧舎那仏をどこに安置する計画だったのかわかりませんが、天平一四年に道慈と教義等が奉造した「華厳七処九会図像」の延長にある造仏事業であることは間違いないでしょう。しかし、東大寺を中心とした華厳世界の構築は既定事項でした。入唐僧である道慈には、釈迦信仰の先にある華厳信仰を見通す先見の明がありました。しかし、大安寺が華厳信仰の中心となることはなかったのです。

道慈は何をめざしたのか

以上、大安寺の基本財産となる仏像・仏画について、『大安寺資財帳』の登記内容を修正して一点ごとに解説した第三章の成果を受け、本章では道慈による「改造大寺」の具体的内容について再検討しました。その結果、天平年間に大安寺の信仰形態に大きな変化があったことがわかりました。すなわち、百済大寺に最初に安置された仏は、皇極天皇が作成した「霊鷲山繡仏図」で、おそらく発願者＝舒明天皇の意を受け継ぎ、丈六釈迦如来繡像を中心に脇侍・八部等の三六体が霊鷲山浄土を表現していました。天智天皇が造立した丈六即像は、皇極天皇の「霊鷲山繡仏図」における中尊＝釈迦如来を立体化したもので、巨大な厨子に納めた「霊鷲山繡仏図」の前立となる形で金堂本尊として安置されました。しかし、須弥壇上では四天王即像が四方を守護する形にとどまり、高市大寺（天武朝大官大寺）においても、構成に変わりはありませんでした。文武朝大官大寺は、天武朝大官大寺を残したまま、新たな中心寺院として造営されましたが、大火災により挫折します。文武朝大官大寺の本尊は、天智天皇が造立した丈六仏を手本に新たに造像したようですが、どのような仏像世界をめざしたのか明らかではありません。

平城遷都直後の大安寺は天武朝大官大寺の金堂本尊、すなわち天智天皇造立の丈六即像を踏襲しますが、天平元年以降、「改造大寺」の勅を受けた道慈は、大安寺大般若会が国税を使った国家的法会として位置づけられたことを踏まえ、三つの具体的な改造に乗り出します。第一は大般若会の意義をわかりやすく彫像・図像で示すことです。すなわち、廡廊に羅漢画像九四躯を描き、中門に金剛力士形八躯・梵王帝釈波斯匿王毘婆沙羅王像からなる中門群像を安置し、「大般若四処十六会図像」が示す世界を具体的に表現します。この図像や中門のインド国王像は、おそらく我国では空前絶後で、道慈が「无妙工巧」と賞賛された理由の一つでしょう。第二は皇極天皇の意を汲んだ「霊鷲山繍仏図」を群像で立体化することです。すなわち、天智天皇による丈六即像一具、即四天王像四躯に加えて、即宍色菩薩二躯、即羅漢像一〇躯、即八部像一具を造像し、脱乾漆像群で霊鷲山浄土を再現したのです。それは興福寺西金堂などの造像を踏まえており、必ずしも道慈の創案ではありませんが、皇極天皇の意を継承した点で、それなりのインパクトがあったはずです。第三は「大般若四処十六会図像」とセットになる繍仏「華厳七処九会図像」の作成です。意匠も共通するので、大般若会の隆盛に便乗したようにも見えますが、釈迦信仰を乗り越えた華厳信仰という新分野の先駆けとなる試みです。東大寺に先立つ華厳会の実施や盧舎那仏造像など、大安寺も華厳の中枢寺院となることをめざした可能性がありますが、圧倒的な国家援助を受けた東大寺と互角に勝負できなかったのです。

第五章　大安寺で最も裕福だった僧の運命

『大安寺資財帳』は登録した資産の帰属を、仏物・法物・僧物・通物などに分類します。現代的には寺の資産は住職に帰属するように見えても、寺は宗教法人なので宗教活動に関わる施設や資産は法人に所属します。古代には法人概念はなく、資財帳が登録する奢侈品の多くは仏物・法物です。たとえば、鉢・鋺・皿（多羅）等の金属（おもに白銅）製食器は、ほとんどが仏物です。これらは仏の供養具で、僧尼が日常使う陶製・木製食器を資財帳は登録しません。資産価値がないのです。僧が身につけた袈裟《けさ》も『大安寺資財帳』254行では仏物・法物です。袈裟は日常着ではなく、法会で仏を供養するための装束なのです。

当然、正倉院・法隆寺宝物級の資産には、僧物は多くありません。ところが、『大安寺資財帳』や七四七年「法隆寺伽藍縁起幷流記資財帳」においては、仏物に相当する貴重品を、たった一躯の僧が大量に保有しています。聖僧です。『大安寺資財帳』108・109行は大安寺に属する僧として「聖僧一躯」と「合見前僧捌佰捌拾漆口」を計上します。「口」で数えた見前僧は、僧四七三口、沙弥（見習僧）四一四口からなり、実際に宗教活動をする人間です。これに対し、仏像と同じ「躯」で数えた聖僧は彫像です。

『大安寺資財帳』に登録された聖僧物

たった一躯の彫像のくせに、聖僧に帰属する資産は質・量とも膨大です。大安寺が所有する銀銭一〇五三文のうち聖僧物は一三八文、養老六（七二二）年の元明天皇一周忌供養のために元正天皇が納賜した鉢一・多羅二・鋺七からなる白銅製食器二セットは、それぞれが仏供養具と聖僧供養具です。これ以外に鉄鉢一口・鋺三口・多羅二口・飯鋺三合・塔鋺二合・白銅製合子一一合・木葉形匙二枚・鐥《かなはし》一具などの金属製食器が聖僧物として登録されています。一方、僧物の金属製食器はありません。古代寺院では、金属製食器は仏と聖僧のみに許された食事具で、一般僧の食器は土器や木器だったのです。

金属製食器以外では、255行「坐具弐拾伍枚」の内訳が「仏物十八枚、法物五枚、菩薩物一枚、聖僧物一枚」となっています。また、流通・消費財である銅銭六四七三貫八二二文のうち、見前僧物銭三二七貫九七七文に対し、聖僧物銭は二八貫一九〇文で、前者が八八七人分（一人あたり約三七〇文）であることを勘案すれば、聖僧の裕福さは群を抜きます。銭と同様に交換価値がある交易絲一三七〇斤一三両二分のうち聖僧物は一一斤で、見前僧物は四〇六斤一四両（一人あたり七両三分）、交易錦二四四四斤三両のうち聖僧物は七斤、見前僧物は三二五斤五両（一人あたり五両九分）にすぎません。つまり、大安寺の聖僧像は、一般僧が所有できない銀銭や金属製食器・坐具などの仏物相当財だけでなく、流通・消費財を一般僧の約二〇～八〇倍近く保有していたことになります。

しかし、聖僧は「聖なる僧」を意味する普通名詞にすぎません。聖僧とは何者なのでしょうか。

実は、古代仏教界でも聖僧の正体は議論の対象になっていました。最澄の『顕戒論《けんかいろん》』（八二〇年）は、寺院を一向大乗寺・一向小乗寺・大小兼行寺に三分類し、一向大乗寺は文殊菩薩を、一向小乗寺は賓頭盧和尚《びんづるおしょう》を上座に置くが、大唐の制度を参照すれば文殊を上座に招くのが正当であると論じています。一四世紀に成立した東寺資料集『東宝記』も、食堂の聖僧像が賓頭盧和尚か文殊菩薩か長々と論じています。現在、京都の法金剛院では僧形像を文殊として礼拝しています。しかし、聖僧は菩薩である文殊よりも仏弟子十六羅漢の筆頭である賓頭盧和尚とするほうが容易に納得できます。

『大安寺資財帳』は、「聖僧一躯」以外に「即羅漢像十躯」や「羅漢画像九十四躯」を仏として登録しています（第三章「仏像リスト修正私案」D部分）。平安仏教界は、聖僧が文殊菩薩か賓頭盧尊者か議論していますが、『大安寺資財帳』の筆録者は、聖僧を羅漢の筆頭と考えていなかったようです。さらに、現在の賓頭盧尊者は、古代の聖僧とまったく異なります。東大寺大仏殿など多くの寺院では、堂外庇《ひさし》の南面隅に「なで仏」として賓頭盧尊者像を安置します。頭をなでれば頭が良くなるなど、祈願・万病に霊験あらたかで、摩滅して面相も定かでない「おビンヅルさん」は少なくありません。禁酒の誓いを破ったので、堂に入れないという説明も聞きます。古代寺院で一般僧と比べものにならないほど裕福だった聖僧が、いつの間に、堂外で信者に頭をなでられるようになったのでしょう。それを考えるには、古代寺院で聖僧が果たした役割を知る必要があります。

法会における聖僧の座

七六七年「阿弥陀悔過料資財帳」、七八八年「多度神宮寺伽藍縁起并資財帳」、八八三年「観心寺縁起資財帳」、九〇五年「観世音寺資財帳」にも聖僧の資産が登録されていますが、七四七年の大安寺や法隆寺ほど大量の貴重品を含んでいません。これらを通覧すると、聖僧に帰属するのは、銀銭などの奉財・報賽品、銅銭や布帛・絲・錦などの流通・消費財をのぞくと、残りは金属製食器と坐具が主体を占めます。一般には、法会にともなう共食儀礼で、居並ぶ僧の上座を占めるのが聖僧であると考えられています。食器と坐具を聖僧物として登録するのは、この通説によく対応します。

正倉院宝物の二彩大平鉢《にさいおおひらばち》（磁皿甲第十一号）に「戒堂院聖僧供養盤 天平勝宝七歳七月十九日 東大寺」の墨書銘があり、聖武天皇の生母藤原宮子《みやこ》の菩提を祈る梵網会《ぼんもうえ》に聖僧が加わり、その共食儀礼に二彩大平鉢を使ったことがわかります。磁皿甲第十二号・第十三号や磁皿乙第一号も、かすかに残る墨書銘から、同時期の同じ法会に用いた奈良三彩陶器です〔正倉院事務所一九七一・高橋二〇〇一〕。聖僧を供養する食器には、八世紀後半になると金属製品だけでなく奈良三彩陶器も加わったことがわかります。なお、大安寺講堂跡の南で多数出土した唐三彩陶枕は、道慈や彼に先立つ遣唐使が将来したと考えられています。しかし、『大安寺資財帳』は登録しません。八六七年「安祥寺縁起資財帳」は「西影堂什物」や「僧房具」に、白瓷茶瓶子・同茶碗・青薫呂・茶垸などの陶磁茶器を登録しますが、原則として寺院資財帳では唐三彩も奈良三彩も登録対象外でした。

法会にともなう共食に聖僧が加わることは、すでに八世紀前半の地方寺院でも恒常化していました。天平九（七三七）年「和泉監正税帳」（『大日本古文書』第二巻）は、同年に消費した穎稲《えいとう》（穂付きの稲）六一九三八束四把八分の支出項目の一つに、正月一四日の恒例行事である金光明経八巻と最勝王経一〇巻の読誦料を計上します。具体的には、二寺において仏聖僧四躯と読僧一八口が読経する惣供養料として稲五〇束一把六分を挙げ、内訳を「聖僧と読僧計二二人分の飯料として各四把すなわち四×二二把で計八束八把、雑餅油料として各一束八把八分すなわち一八・八×二二把で計四一束三把六分（仏聖僧一八口合二十二躯、躯別飯料四把、雑餅並油等料一束八把八分）」と割注します。後の和泉国府所在地（現和泉市）付近にあった「二寺」候補として和泉寺跡・池田寺跡・坂本寺跡などがあります［歴史館いずみさの二〇〇二］。ここでも飯料や雑餅油料が支出項目になっているので、聖僧が活躍する場は共食に限られるように見えます。しかし、それは誤解です。

正月に金光明経・最勝王経を読誦するのは、神護景雲元（七六七）年に始まる御斎会《ごさいえ》の先駆形態です。御斎会においては国家安寧・五穀豊穣を願い、正月八日から七日間、大極殿（後には清涼殿）に高僧を招いて金光明最勝王経を講読します。『延喜式』巻一三「図書寮」式「正月最勝王経斎会堂装束」条には、本尊となる盧舎那仏の前に配置する諸道具のなかに、塗丹榻《にぬりのしじ》（赤く塗った腰掛）一脚、短帖（小さい畳）一枚、白褥《はくじょく》（白い敷物）一条、漆案《うるしあん》（漆塗りの机）一前、帊（布）一条、帯二条、金銅鉢一口、盤四枚、鐃《にょう》（金属製打楽器）四口、箸一具からなる聖僧座一具を登録しています。金銅鉢・盤・箸は食器ですが、それ以外は盧舎那仏を前にした読経や法会に必要な舞台装置で、聖僧は共食儀礼だけでなく本番である読経・法会において一般僧の上座にいたと推測できます。目立つ帰属具に金属製食器があり、具体的なイベント費に食料が計上されることが多いので、聖僧が登場するのは共食儀礼と考えられがちですが、食事の場だけに現れるのは食い逃げで、聖僧は本番の読経や法会の場にも同席していたのです。たとえば、かつて東大寺上院地区（二月堂・三月堂付近）にあった阿弥陀堂の資財として、七六七年「阿弥陀悔過料資財帳」は「聖僧榻《しじ》一前・褥《じょく》一枚・貫簀《ぬきす》一枚・覆一条」を「道師榻一前・褥一枚・短畳一枚・貫簀一枚」と並記します。阿弥陀悔過会において、法会を主導する道師と並んで聖僧の座があったことは確実です。つまり、共食儀礼に限らず、法会・儀式の上座を聖僧が占めたのです。

聖僧像の有無と安置場所・安置年代

『大安寺資財帳』は基本財産である仏像や仏画を、おもに如来・菩薩・四天王・八部・羅漢などの階層順に記載しますが、安置した建物施設を登録することには熱心ではありません。とくに、聖僧像は仏像ではなく、僧として登録するので、どこに安置したのか見当がつきません。しかし、京都の東寺食堂には、本尊の千手観音像等よりも古くから聖僧像が安置されていました。法会にともなう共食儀礼で聖僧が居並ぶ僧の上座を占めた証拠としてよく引用されます。しかし、八八三年「観心寺縁起資財帳」は講堂に安置した仏像の一つに唐聖僧像一躯を、八九〇年「広隆寺資財交替実録帳」は金堂に安置した仏像の最後に高三尺一寸の聖僧像一体を、九〇五年「観世音寺資財帳」は観世音菩薩像とともに講堂に安置した聖僧像一躯を計上しています。法会や法会にともなう共食儀礼で僧の上座を聖僧が占めるので、僧たちが集合する食堂や講堂に聖僧像を安置するのが一般的ですが、金堂に安置する例もあるのです。広隆寺金堂の聖僧像の意味は、本章末で再論します。

一方、七六七年「阿弥陀悔過料資財帳」や七八八年「多度神宮寺伽藍縁起并資財帳」は法会に聖僧の座を設けているのに、聖僧像を登録しません。同じく七四七年「法隆寺伽藍縁起并流記資財帳」は、法隆寺に属する僧・七六口と沙弥八七口の合計として「見前僧二六三口」を登録しますが、聖僧の姿はありません。登録された仏像などの彫像のなかにも聖僧像はありません。厩戸皇子の私寺に由来する法隆寺の資産は、官大寺である大安寺に比べて見劣りしますが、聖僧分として登録された資産が豪華である点は大安寺と変わりません。資産があっても、肝心の聖僧像を法隆寺・東大寺阿弥陀堂・多度神宮寺が登録しないのは、上座を空けるだけで聖僧の存在を暗示したからです。姿なき聖僧で、天竺（インド）や中国など日本仏教の故郷に由来する古い方式と言われています。

聖僧はいつから重視されたのか

前々項で述べたように、天平九年には聖僧像が法会や法会にともなう共食儀礼において一般僧の上座にいました。しかし、日本で本格的な寺院が成立した六世紀末から、聖僧が存在したのか疑問です。聖僧が活躍し始めた年代に関しては、『大安寺資財帳』120行が登録する銀銭一〇五三文のうち、一三八文が聖僧に帰属する事実から推定できます。『大安寺資財帳』や「法隆寺伽藍縁起并流記資財帳」が銀銭を登録するので、天平一九（七四七）年時点で銀銭が流通していたという誤解もあります。しかし、天武天皇一二（六八三）年四月、富本銭発行にともなって無文銀銭を廃止し〔『日本書紀』〕、和同銅銭を発行した〔『続日本紀』和銅元年〈七〇八〉年八月一〇日条〕翌年には和同銀銭を廃止して、銅銭流通を促進した〔『同』和銅二年八月二日条〕経緯を正史から推測できます。それでは、流通していない銀銭が、なぜ「天平十九年帳」に登録されているのでしょうか。その理由は登録された銅銭と銀銭の使途や帰属から一目でわかります。

『大安寺資財帳』127〜134行の銅銭（基本は和同開珎ですが富本銭を含むかもしれません）に関しては、仏物銭・法物銭・見前僧物銭・通物銭以外に、衆派別配当金（修多羅衆銭・三論衆銭・律衆銭・摂論衆銭・別三論衆銭）、イベント費（涅槃分銭・華厳分銭・盂蘭盆分銭・木叉分）、釈迦如来以外の仏や聖僧への奉財・報賽費（菩薩分銭・聖僧物銭・四天王物銭・功徳天女分銭・八部物銭）、施設や道具の維持管理費（塔分銭・燃燈分銭・塈篠分銭・温室分銭）、宗教活動費（功徳分銭・悲田分銭・義物銭・衣田分銭）など、具体的な使途や帰属を割注で明記しています。これに対し、『大安寺資財帳』の銀銭一〇五三文は、仏物・菩薩物・四天王物・聖僧物と仏像や聖僧へ帰属、すなわち奉財・奉賽銭に限定されています。これは七四七年「法隆寺伽藍縁起并流記資財帳」でも同様です。つまり、銅銭と違い、銀銭には具体的な使途がないのです。

『大安寺資財帳』において、天智天皇が造立した丈六即像（金堂本尊の釈迦如来）に奉財・報賽した仏物銀銭八八六文のうち、九二文は「古」すなわち無文銀銭です。平安時代にも新銭を発行すると寺院に奉納するのが慣例です。つまり、大安寺の丈六即像へ奉財・奉賽した銭だけが無文銀銭を含むのは、前身寺院である百済大寺の本尊造立時に、我国最初の貨幣を天智天皇が奉財・報賽した結果なのです。現在でも、流通していない貨幣を賽銭に用いることはあり得ないように、銀銭廃止後に流通していない銀銭を奉財・奉納することはなかったと考えられます。とすれば、「古」を含まない銀銭（和同銀銭）を所有している大安寺聖僧像は、天武天皇一一（六八三）年以降、和銅元（七〇八）年以前に造立されたと考えられます。七四七年「法隆寺伽藍縁起并流記資財帳」でも銀銭が聖僧分として登録されており、姿なき聖僧も和銅元年以前から法会において重要な位置を占めていたと推測できます。なお、天皇が奉財・報賽した銀銭の存在は、寺や彫像の権威を高める役割も果たします。それは、天平八（七三六）年の聖徳太子の命日に、光明皇后が法隆寺に納賜した海磯鏡二面が、「法隆寺伽藍縁起并流記資財帳」において法隆寺本尊＝金堂釈迦三尊像に帰属する宝物として登録され、現在も法隆寺宝物として東京国立博物館に保管されている事実からも類推できます。

資財帳にみる布薩と如意

聖僧が参加した重要かつ普遍的な法会として布薩《ふさつ》（木叉《もくしゃ》、戒羯磨《かいかつま》）があります。布薩とは、教団の規律（具足戒《ぐそくかい》）を僧尼が遵守しているかチェックする会合で、原則、半月ごとに開催されました。国分寺造営詔で規定した「月半に至るごとに戒羯磨を誦せ」の条例「『類聚三代格』巻三・国分寺事」にしたがえば、全国規模で布薩は実施されたはずです。戒師が戒本（波羅提木《はらだいもく》叉《しゃ》）を読みあげ、全員出席を義務づけられた出家者は、身に覚えがあれば告白・懺悔します。告白や懺悔が重要な宗教行為となる点は、キリスト教にも共通します。また、布薩の前日、毎月一四・二九日には、湯浴みして身を浄めました［『三宝絵詞』下巻「僧宝」第五話］。温室院や湯屋が寺院に付属する理由の一つはここにあります。

資財帳は布薩に関わる資産も登録しています。八世紀前半においては、『大安寺資財帳』が銭二四貫四八三文、水瓶四五口のうち四口、如意《にょい》一六枝のうち三枝、籌《ちゅう》一具、船一一口のうち五口を、七四七年「法隆寺伽藍縁起并流記資財帳」が白銅水瓶八口、袈裟三領、革箱一合を木叉分として計上します。一方、八世紀後葉以降においては、七八八年「多度神宮寺伽藍縁起并資財帳」が脇《きょう》息《そく》一前、如意一柄、籌八〇隻、浄水丸筒二口、袋七口、漆塗持櫃二合を布薩調度として、八六七年「安祥寺縁起資財帳」が白銅澡瓶二口を、八七三年「広隆寺資財帳」と八九〇年「広隆寺資財交替実録帳」が如意一枚、籌五〇枚、澡瓶一口を布薩料として、九〇五年「観世音寺資財帳」が如意一隻、白銅軍持一口、白銅香炉一柄、白銅水瓶一口を布薩物として登録しています。

銭はイベント費、袈裟・脇息は布薩を主導する僧（戒師）が使う道具、箱・袋・櫃は布薩道具の容器ですが、これら限られた資財帳が登録する品物を除くと、水瓶・船・浄水丸筒・澡瓶・軍持などの浄水容器と籌・如意が布薩の道具として共通します。『東大寺要録』巻九所収の布薩作法を参照すると、香水をかける場面や籌を洗う場面、手を洗う場面、籌を配り回収する場面があり、水瓶をはじめとする浄水容器および籌が行事進行に不可欠だったことがわかります。籌とは数取りの木札や竹棒で、出席者に配って回収し、参加を確認しました。「法隆寺伽藍縁起并流記資財帳」「安祥寺縁起資財帳」「観世音寺資財帳」が籌を登録しないのは、資産価値の少ない消耗品とみなしたからでしょう。正倉院宝物や寺宝の如意は鼈甲《べっこう》製や金属製の超高級品ですが、本来は竹製品で、「法隆寺伽藍縁起并流記資財帳」が如意を登録しないのも同じ理由だと思います。

ただし、布薩作法をみても如意の用途ははっきりしません。仏教辞典は「如意は説法、講演、法会などにおいて講師が手に持って威儀をととのえる儀式用具」で、正倉院宝物にみる孫手《まごのて》形如意から、頭部が大きい雲形如意に変遷すると解説しています。しかし、「多度神宮寺伽藍縁起并資財帳」「広隆寺資財帳」「広隆寺資財交替実録帳」「観世音寺資財帳」は、布薩用以外の如意を登録しません。また、『大安寺資財帳』の木叉分以外の如意は仏物なので、古代の法会で僧が如意を手にして威儀を整える場面は布薩に限定されていたと考えられます。また、日本には孫手形如意と雲形如意の中間形態はなく、日本で孫手形から雲形に変化したのではなく、前者は八世紀以前、後者は九世紀以降に、朝鮮半島や中国大陸からそれぞれ伝わったと考えられます。「安祥寺縁起資財帳」は白角如意二柄を説法具として登録しています。如意を布薩用以外に登録した唯一の資財帳です。安祥寺は空海の孫弟子で入唐八家の一人＝恵運《えうん》を開基とする寺で、資財帳も恵運自身が作成しました。おそらく「安祥寺縁起資財帳」に登録された如意は雲形で、新しい機能を中国で学んだ恵運の考えが反映されているのだと思います。

布薩行事で如意を持つ僧

七八八年「多度神宮寺伽藍縁起并資財帳」、八七三年「広隆寺資財帳」、八九〇年「広隆寺資財交替実録帳」、九〇五年「観世音寺資財帳」に登録された布薩用の如意は一柄だけなので、布薩に参加を義務づけられ、告白・懺悔する多数の僧が持つ道具ではあり得ません。布薩作法のなかで、如意を持つのにふさわしいのは戒師だけです。とすれば、如意を持った東大寺開山堂の良弁像（木像）や法隆寺東院の行信像（脱乾漆像、図7）は、布薩戒師を勤める姿を表現したことになります。如意を持した良弁像と行信像は、両手の表現が共通します。右手は伏せて握り右膝に載せ、左膝に載せた左手は軽く開いて上を向けます。同じ両手表現は、他の古代僧形像にもあります。一つ

図7 布薩戒師を勤める行信のイメージ
玄蕃寮管下の僧綱所は奈良時代には平城京薬師寺に置かれた。僧綱所大僧都法師として都下諸寺が提出した「天平十九年帳」を審査した行信は、天平11年、斑鳩宮の跡地に聖徳太子を偲んで法隆寺東院（夢殿）を造営した。夢殿本尊である救世観音を祀る八角石造仏壇の東北隅に安置された行信像（高89.7cmの脱乾漆像）は、唐招提寺の鑑真像とならぶ数少ない奈良時代の開祖像である。甲角製如意を持す姿は東大寺良弁像にも共通する。『聖徳太子伝私記』講堂条裏書に、行信大僧都は勝鬘会に銀覆輪の水牛角製如意を用いたとあるので、勝鬘会の導師の姿を表しているとする説もあるが、古代の資財帳では如意の用途は布薩調度に限定されるので、布薩戒師を勤める姿と考えるべきだろう。

は岡寺の義淵《ぎえん》僧正坐像（木心乾漆像）で、本来は聖僧像だったと理解されています。もう一つは東大寺二月堂食堂に安置された聖僧像（塑像）です。つまり、如意は聖僧（像）が持つ道具でもあったのです。

布薩の場で如意を持した僧が戒師なら、如意を持つ聖僧像は、戒師と同等もしくはそれ以上の立場にあったはずです。布薩戒師には、戒本を誦み上げるという重要な役割があり、聖僧にはそれができません。しかし、戒本を誦み上げる時に戒師は、誤りがあれば同持者による指授を要望します。聖僧（像）は戒師の上座にいて、指授する立場にあったのです。これは、七六七年「阿弥陀悔過料資財帳」において、阿弥陀悔過会の道師の上座に聖僧座があったのと同じです。法会にともなう共食の場だけでなく、法会の進行においても聖僧が一定の役割を担っていたことは、布薩においても確認できるのです［上原二〇一六］。

布薩と悔過会

布薩は僧が戒を遵守していることを日常的に確認する行事なので、鑑真が平城京に到着した天平勝宝六（七五四）年以前と以後で作法が大きく異なると予測されていました［石田一九六八］。しかし、資財帳を比較する限り、布薩に用いる道具は八世紀前半と八世紀後葉以降とで大きく異ならず、布薩行事において聖僧が一定の役割を果たす点にも変わりはありません。鑑真来日によって遵守すべき戒律項目に変更があったとしても、国分寺造営を契機に日本各地に伝わった布薩作法には、大きな変化はなかったと考えられます。

布薩と同様、おのれの罪を発露懺悔して現世利益を祈願する法会に悔過会があります。仏教辞典を見ると、布薩に関しては豊富な経典・戒律・論蔵を引用して、具体的な作法まで解説するのに対し、悔過会に関する出典は少なく、解説も布薩の半分に満ちません。一方、宗教史・建築史・美術史・芸能史などの立場からは、悔過会に注目した研究が多く、布薩がほとんど議論の俎上にのぼらないのと対照的です。それは正史に悔過会の記録が頻発するのに、布薩はほとんど取りあげられないこと、および東大寺二月堂のお水取りなど、現在に残る正月行事（修正会・修二会）の多くが悔過会に由来するからです。

祈雨のために蘇我馬子が大寺南庭で仏菩薩像と四天王像を厳飾し、衆僧に大雲経を読ませて悔過した記事［『日本書紀』皇極天皇元（六四二）年七月二七日条］をはじめとして、正史には悔過会を実施した記事が少なくありません。悔過会は薬師悔過・吉祥悔過・阿弥陀悔過・十一面悔過など、特定の本尊や仏像を対象に、限定された寺院において、天皇皇族の追善供養や病気平癒、疫病や物怪・外敵の退散、五穀豊穣など臨時的な目的で実施されています。それが正史に記録される理由です。これに対し、布薩は不特定多数の寺院で開催する月に二回の恒例行事で、基本的に正史に記録されることはありません。悔過会も修正会や修二会のように定例化して年中行事になれば正史から姿を消します。しかし、布薩に関しては、八・九世紀を通じて、官大寺から地方の神宮寺に至るまで、同じ形式の法会が同じ道具立てでおこなわれていたことが明らかです。日本仏教の共通基盤が布薩作法を通じて日本全国に根付いたと言って過言ではないでしょう。

聖僧の行方

一般僧侶の上座を占め、布薩をはじめとする法会で戒師や導師と並ぶ地位にあった古代寺院の聖僧が、その後の寺院法会で引き続き活躍する機会は減少します。「天平十九年帳」では、聖僧への奉財・報賽銭に銀銭（和同銀銭）を含むので、聖僧が和銅元（七〇八）年以前から活躍していたことがわかります。一方、八世紀後半以降、鑑真・行信・良弁などの肖像彫刻が現れます。寺院の開祖・開基あるいは中興の祖で、肖像は開山堂で祀るのが一般的です。行信・良弁の肖像は聖僧像と同様に如意を持った布薩戒師を勤める姿で表現され、聖僧像と形態・機能において大差ありません。岡寺のように、いつの間にか寺の開祖＝義淵僧正に名を変えた聖僧もいます。開祖・開基・中興の祖は、寺にとって、どこの馬の骨ともわからない聖僧よりも重要な存在で、聖僧が没落し「おビンヅルさん」となった原因の一つは、肖像彫刻の台頭にあると思われます［小野二〇一三］。大安寺においても、資財帳で最も裕福だった聖僧は人口に膾炙することなく、前章で述べた道慈の活躍が知れ渡り、回廊の羅漢画像にも加えられます。九五三年「実録近長谷寺堂舎并資財田地等事」では、「毗頭盧一柱」は三間鐘楼に安置されています。鐘楼は金堂や講堂・食堂より開放的かつ格下の施設で、一〇世紀には賓頭盧尊者没落の兆候が生じていたと理解できます。

ただし、新しい活躍の場を得た聖僧もいました。九世紀中葉に宮中で始まった仏名会には、聖僧の座がありました［『延喜式』巻一三「図書寮」式「御仏名装束」条］。宮中仏名会では三日間にわたり多数の仏の名号を唱えるので、五人の高僧が代わる代わる導師を勤め、聖僧はただ一人、三日間を通して法会に臨むのです。弘仁九（八一八）年の焼亡後、奇跡の復活を遂げた広隆寺では、講堂・金堂をフル活用して寺院仏名会を実施しました。八九〇年「広隆寺資財交替実録帳」の聖僧像は金堂に安置されていました。さらに、一二世紀後半に再々建された広隆寺では、等身文殊師利菩薩像が、本尊薬師如来像（霊験薬師）、金銅弥勒菩薩像（宝冠弥勒）、金銅如意輪像（宝髻弥勒）、八尺十一面観音・不空羂索等像、等身十二神将像とともに、往古の霊仏として金堂に祀られていました［永万元（一一六五）年「広隆寺供養願文」］。等身文殊師利菩薩像は高三尺一寸の聖僧文殊坐像とも記載され「道慈和尚」の異名もあったと言います［明応八（一四九九）年『広隆寺来由起』］。一方、講堂には丈六阿弥陀如来・地蔵虚空蔵等像、等身不動明王・吉祥天女とともに頻（賓）頭盧尊者像も安置されていました［「広隆寺供養願文」］。つまり、広隆寺においては、古代を通じて聖僧像は文殊菩薩あるいは賓頭盧尊者として金堂や講堂に安置され、堂外で信者がなでまわす「なで仏」に転落しなかったのです［上原二〇二〇］。

大安寺聖僧像に関し、岡田英男さんは「菅家本諸寺縁起集」に金堂の北方二町ばかりのところに文殊堂があって、本尊の文殊と四天王等が安置されていたという記事に注目し、「この文殊が『資財帳』の聖僧像にあたり、もと食堂にまつられていたと想定すると（中略）食堂が伽藍北方にあった可能性はかなり高い」と述べて、大安寺食堂の位置を裏づける資料として紹介しています［岡田一九八四］。中世以降の文殊堂が聖僧を祀る施設だった証拠はありませんが、岡田さんが問題にした大安寺食堂の所在は、次章で検討します。

第六章　大安寺食堂はどこにあったのか

『大安寺資財帳』に登録された寺院地

『大安寺資財帳』352～387行は、寺院地にあった建物施設を、以下のように登録します。すなわち、A部分で各施設が占める広さを示し、B～O部分で各施設を構成する建物数や規模を列記します。引用に際し、明らかな誤記は修正して末尾に記し、内容に即して行替え位置を変更し、字間を適当にあけました。なお、本章では一丈＝三メートルで図示します。

A　合寺院地壱拾伍坊
　四坊 塔院　四坊 堂并僧房等院　一坊半 禅院食堂并太衆院
　一坊 池并岳　一坊半 賎院　一坊 苑院　一坊 倉垣院　一坊 花園院

B　合門玖口
　仏門二口 在神王金剛力士梵王帝釈波斯匿王毘婆沙羅王形
　僧門七口

C　合堂参口
　一口金堂 長十一丈八尺 広六丈 柱高一丈八尺　一口講堂 長十四丈六尺 広九丈二尺
　柱高一丈七尺　一口食堂 長十四丈五尺 広八丈六尺 柱高一丈七尺

D　合楼弐口
　一口経楼　長三丈八尺　広二丈五尺
　一口鐘楼　丈尺如経楼

E　合廊壱院

金堂東西脇各長八丈四尺　広二丈六尺　高一丈五寸
東西各長廿丈五尺　広二丈六尺　高一丈五寸

F　合食堂前廡廊　東西各長五十五尺
広一丈三尺　高一丈五寸

G　合通左右廡廊陸条
一行経楼　一行鐘楼　長各二丈七尺　広一丈四尺　高八尺
二向講堂東西　長各九丈　広一丈　高一丈五寸
一講堂北郎　長五丈二尺　広一丈八尺　高一丈八尺
一食堂　長九丈九尺　広一丈八尺　高八尺五寸

H　合僧房壱拾参条
二列東西太房列　長各廿七丈四尺五寸　広二丈九尺　高一丈五寸
二列東西太房北列　長各廿四丈五尺　広高如上
二列東西南列中房　長各廿七丈四尺五寸
二列東西中房北列　長各廿九丈一尺　広三丈　高一丈一尺
二列北太房　長各十二丈五尺　広三丈九尺　高一丈五寸
一列北東中房　長廿七丈　広三丈　高一丈一尺
一列小子房南列　長十丈　広一丈二尺　高九尺
一列東小子房　長廿九丈一尺　並盖檜皮

I　合井屋弐口　並六角間　各長一丈
高九尺　在僧房院

J　合宿直屋陸口
二口金堂東西　各一丈三尺　広八尺三寸　二口南大門東西曲屋　長各二丈四尺

広一丈　高七尺五寸　葺瓦二口南中門東西　長各一丈四尺　広一丈　高八尺

K　合温室院室参口

一口　長六丈三尺　広二丈　一口　長五丈二尺　広一丈三尺

一口　長五丈　広二丈　並葺檜皮

L　合禅院舎捌口

堂一口　長七丈　広四丈　高一丈四尺　僧房六口　一口　長六丈三尺　広三丈八尺　三口　長五丈　広二丈

一口　長十丈八尺　広一丈八尺　一口　長四丈　広一丈五尺　廡廊一条　長四丈　広一丈二尺　以上葺檜皮

M　合太衆院屋陸口　一口葺瓦　五口葺檜皮

一厨　長廿二丈　広五丈　高一丈一尺　一竈屋　長十一丈四尺　広七丈二尺　高一丈八尺　葺瓦

二維那房　長各七丈七尺　広二丈八尺　高一丈六尺

一碓屋　長五丈　広二丈　一井屋　長七丈七尺　広三丈　高一丈四尺

N　合政所院参口

一口　長七丈　広四丈　高一丈四尺　一口　長五丈　広三丈　高一丈一尺　以上葺檜皮

一口　長九丈　広五丈　高一丈三尺　葺草

O　合倉弐拾肆口　之中

双倉四口　板倉三口　並在太衆　甲倉一口　在禅院

板倉二口　甲倉十三口　並在倉垣院

修正箇所　①G部分割注は「一行経楼　一行鐘」を「一行経楼　一行鐘楼」に修正

②L部分の堂一口は「長七尺」を「長七丈」に修正

③〇項は板倉三口以下が双倉四口の割注だったが「之中」以下を割注に修正

平城京のなかの大安寺Ⅰ

天平一九年の大安寺寺院地（寺域）は平城京条坊区画の一五「坊」分を占め、構成する各施設の面積は「坊」数（以下、『大安寺資財帳』を引用する場合を除いて、慣例により「坊」を「坪」に読み替える）で登録されています（A部分）。しかし、各施設の所在を『大安寺資財帳』は明記しません。平城京における所在地は、南北大路（坊）と東西大路（条）で囲まれた範囲、すなわち道路心々で方五三二メートルの区画を四×四等分（一六分割）し、左京なら北西隅、右京なら北東隅から南へ1～4、隣列に移って北へ5～8と坪番を設定するのが原則です（図8）。当然、各坪の面積は接する道路幅によって異なります。大安寺南大門前の東西道路は六条大路、寺院地西限は東三坊大路となるので、金堂・講堂・僧房などの中心伽藍「四坊堂并僧房等院」は左京六条四坊三～六坪に所在し、七条大路の南にある「四坊塔院」の所在地は左京七条四坊一・二・七・八坪となります（以下、大安寺の建物施設の所在を平城京の条坊で表示する際には「左京」を省略）。また、杉山古墳が所在する六条四坊七坪が「一坊池并岳」に該当することにも異論はありません。しかし、そのほかの「一坊半禅院食堂并太衆院」「一坊半賎院」「一坊苑院」「一坊倉垣院」「一坊花園院」に関しては、所在地を推定する積極的な根拠はありません。

一九八〇年以来の奈良市教育委員会による大安寺旧境内の発掘調査は、図9を根拠に実施されてきました。図9が示す大安寺寺院地は、大安寺旧境内国史跡指定範囲にほぼ合致します。大安

図8 大安寺周辺の平城京条坊呼称

平城京の所在地は、東西大路 (条) と南北大路 (坊) が囲む 1500 大尺 (約 532m) 四方を 16 等分し、左京なら西北隅から、右京なら東北隅から順に坪を数えて〇条〇坊〇坪と呼ぶ。道路幅に格差があるので、大路に面した坪は面積が小さい。大安寺の中心伽藍が所在する左京六条四坊は南を東西に横断する六条大路、東を南北に縦貫する東四坊大路にもとづく呼称である。大規模な大安寺寺院地からはずれた坪は、平城京が機能した時には、さらに小さく区画して宅地にした。奈良時代に六条大路以南の大安寺寺院地が加わるなどの変更があれば、発掘調査によって、先行する宅地や条坊痕跡が検出できる。

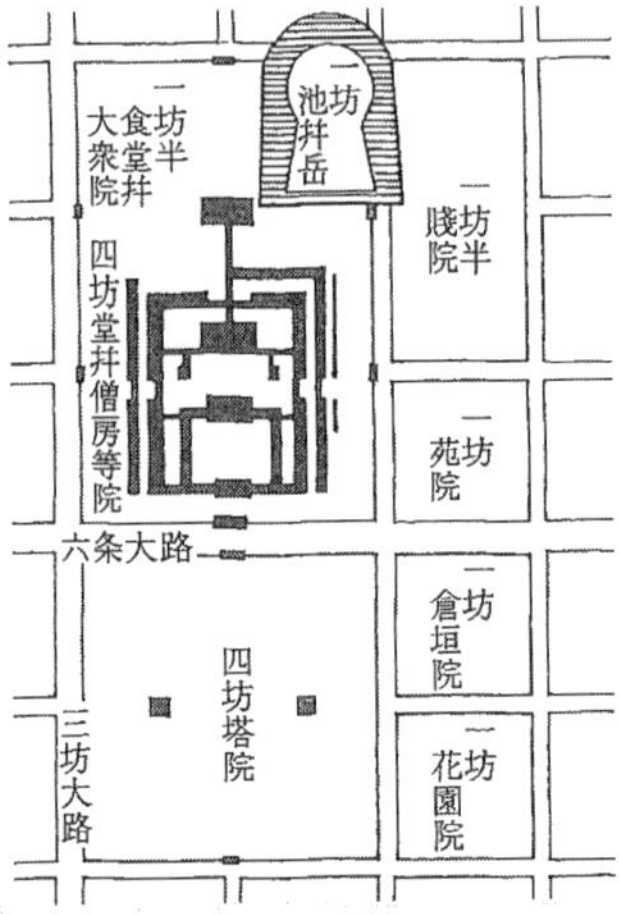

図９ 大安寺寺院地［大岡 1966］

『大安寺資財帳』は大安寺寺院地を広さ15坪と明言する（A部分）。その所在に関しては、六条四坊二〜七・十〜十二坪と七条四坊一・二・七〜十坪をあてる説が一般的で、国史跡指定地にほぼ合致する。A部分の堂并僧房等院（中心伽藍）が六条四坊三〜六坪、塔院が七条四坊一・二・七・八坪、池并岳が六条四坊七坪（杉山古墳）に該当することに異論はない。しかし、資財帳が記録した寺院地は、天平19年時点のもので、塔院は平城遷都以後、天平19年以前に道慈が加えたとする説や、六条四坊十二坪は神護景雲２（768）年の早良親王居住時に加わったとする説もあり、定説は揺らぎつつある。しかし、一般宅地は一坪を細分し班給するので、その主張を成立させるには広大な寺院地に先行する条坊や宅地の痕跡を検出する必要がある。

寺が国史跡に指定されたのは、大正一〇（一九二二）年三月三日のことで、山田寺跡・川原寺跡・大官大寺跡・本薬師寺跡などとともに、奈良県下（というより日本全国）における国指定史跡の第一号です。日本史における大安寺の重要性は、早くから認識されていたのです。現在の指定範囲は、昭和四三年の追加指定を踏まえ、平成一八年には京都府綴喜郡井手町の石橋瓦窯（『大安寺資財帳』475行の相楽郡「棚倉瓦屋」）が加わり、指定名称も「大安寺旧境内附石橋瓦窯跡」となっています。

平城京のなかの大安寺Ⅱ

現在、国史跡に指定する場合、厳密な確認調査を実施し、範囲の妥当性をとことん追求します。

しかし、日本列島改造などで大規模な発掘調査が日常化する以前は、寺院・官衙・集落遺跡などの範囲は地形・地割・文献史料を根拠にして推定するのが当然で、大安寺旧境内の範囲も例外ではありません。つまり、天平一九年の大安寺が、六条四坊・七条四坊付近で一五坪の寺院地を確保していたことは、『大安寺資財帳』の記事と発掘せずに認識できる遺構とから間違いありません。しかし、それを根拠に描いた大安寺寺院地には不確定要素があり、発掘を通じて確認・訂正すべき対象でした。

興福寺・薬師寺・元興寺・大安寺・唐招提寺・西大寺の建物施設や伽藍配置を、資財帳をはじめとする文献史料や現地に残る基壇・礎石・地割などを根拠に、論理的かつ体系的に復原する作業は、昭和一〇年前後に建築史の大岡實さんが積極的に推進しました。その成果は、退職時に同僚や教え子の援助によって一書にまとめられ、容易に参照できるようになりました［大岡一九六六］。同書では、遺構の現状や史料の数値を根拠に、まず建物施設を一つひとつ復原し、それを集めて全体の伽藍配置を描いています。論理的ですが、全体像を提示するまでに、多くの手続きが必要です。もちろん、遺構の現状にも史料にも、復原資料として限界があります。同書刊行時には、発掘を含めた新たな研究成果を踏まえ、最新の伽藍配置復原案と解説が付記されました。例言によれば「原論文を尊重する立前から、（中略）各編ごとに付記をつけ、原論文発表以後、最近に至るまでの関係論文を掲げ、必要なものについてはその内容を略記した」「本文の文体の統一、補正は太田博太郎が担当し、付記は工藤圭章が書き、太田が補った」とあるので、付記された新説に大岡さんは、必ずしも深く関与しなかったようです。また、公刊後も、発掘成果等を踏まえた新説が提起されています。しかし、煩を避けるためか、大岡さんが一つひとつ丁寧に提示した根拠を再度検証する手間を省き、結論のみを示す例が目立ちます。そのため復原の根拠となった基礎資料の再確認がおろそかになり、いつの間にか、『大安寺資財帳』や遺構に反する復原案が堂々とまかり通ることもあります。以下、この反省を踏まえ、異論の多い「一坊半禅院食堂幷太衆院」の所在と復原に関する私見を開陳します。

建物施設を復原する原則――僧房の場合

大岡實さんは、食堂も含めた大安寺伽藍地（中心的建物施設）を図10のように推定しました。この図で違和感があるのは、講堂の三方を囲む僧房のうち東西僧房（太房・中房・小子房）が北に著しく延び、その北端が不揃いなことです。『大安寺資財帳』に登録された僧房（H部分）は、東西太房・中房が南列と北列にわかれ、それぞれが二七丈四尺五寸、二四丈五尺、二九丈一尺と長さが不揃いです。しかも「北東中房長二七丈」という建物主軸方向も不明確な長さも違う中房一棟が加わっています。しかし、図10は『大安寺資財帳』が記す数値を忠実に守って作図しており、「違和感」は実直の産物です。

国分寺のように二〇人前後の僧が所属する古代寺院の僧房は、講堂背後に東西棟で建てるのが常態ですが、多数の僧が居住する都城の官大寺では、講堂の北・東西の三方を僧房が囲みます。いわゆる三面僧房です。H部分に登記された大安寺僧房が三面僧房であることに異論の余地はありません。天平一九年の大安寺には八八七人もの僧が居住しており、それに対応する大規模な僧房は不可欠です。H部分の記事から僧房位置は確定できませんが、講堂の三方を囲む三面僧房という原則のもとで、図10のように復原すると、東西僧房の北端は六条四坊三・六坪からはみだし、同二・七坪にもくい込んでいます。これは、明らかに「堂并僧房等院」が四坪を占めるとするA部分の記事に矛盾します。

これに対し、図9の僧房復原は、図10の違和感とA部分記事との矛盾を見事に解決しています。すなわち、長大な東西僧房を南に延ばして、講堂だけでなく金堂院を囲む形にして、二・七坪にはみだしていた僧房を三・六坪内に納めてA部分との整合を図っただけでなく、北東中房長二七

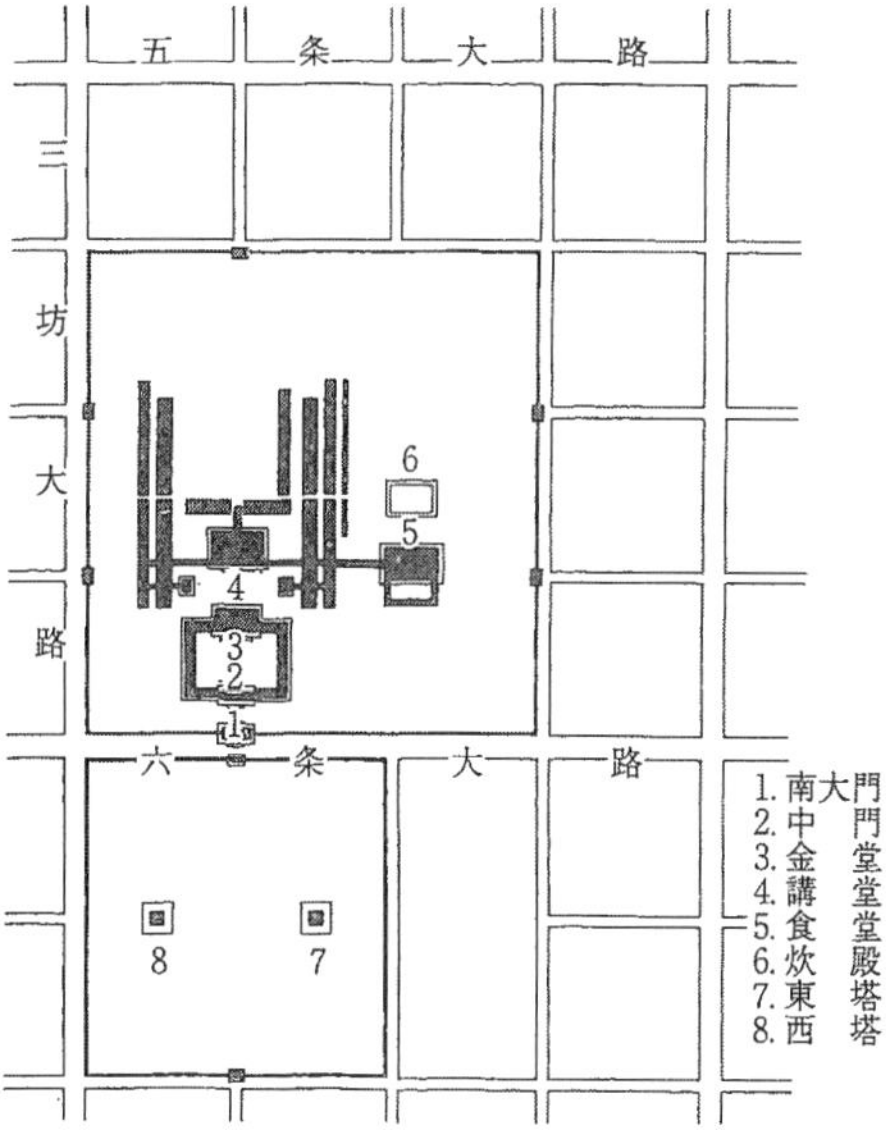

図10 大安寺伽藍の大岡説［大岡 1966］

大安寺寺院地を示す現在もっとも一般的な図9は、大岡さんの業績を一書にまとめた時、最新案として編者が提示したもので、研究を進めた当時に大岡さんが考えた大安寺伽藍が本図である。講堂を三方から囲む三面僧房の北端は、六条四坊三～五坪よりも北にはみだし、炊殿が同十一坪北半部までおよぶ点は、『大安寺資財帳』A部分と明らかに矛盾する。しかし、図9は僧房位置に関わる矛盾を解決した。つまり、図9は大岡説の欠点を克服した新説だった。しかし、食堂位置に関しては、大岡説のほうが図9より『大安寺資財帳』F・G部分の記事内容と整合する。

丈を北太房に平行する北中房と理解することで、不揃いだった僧房群の北端の収まりを解決したのです。図9は『大和古寺大観』第三巻（岩波書店、一九七六年）等にも、在りし日の平城京大安寺の勇姿として引用されました。その後におこなわれた僧房跡の部分的発掘は、図9の僧房復原が妥当であることを具体的に示しただけでなく、天平一九年以降に加わった「西小子房」の存在も明らかにしました（図11）［中井一九九七］。図9の僧房復原が大安寺伽藍配置図として定説的地位を占めた理由です。

つまり、『大安寺資財帳』から建物施設を復原する場合、登記内容と矛盾がなく、かつ収まりのよい形で理解でき、それが発掘成果と整合することが重要なのです。次項以下で述べるように、図9に描き込まれた食堂復原案は『大安寺資財帳』の登録内容と矛盾するだけでなく、発掘成果にも合致しません。にもかかわらず、図9は現在なお大安寺伽藍復原案として、よく引用されます。僧房復原案が優れていたためでしょう。

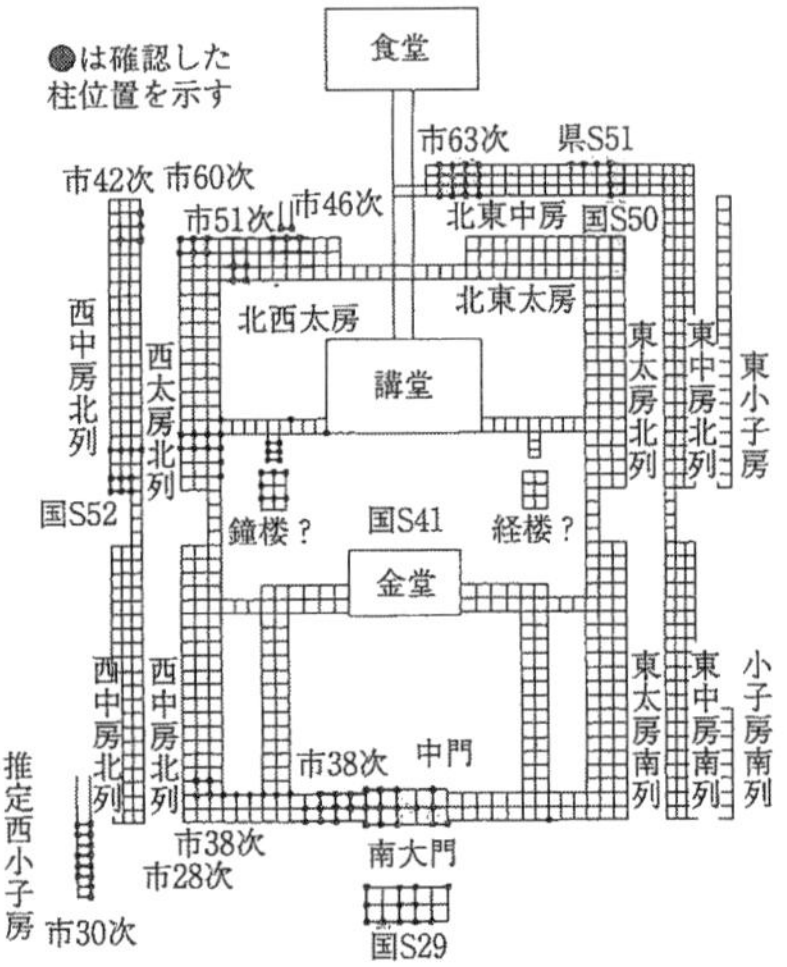

図11　確認した僧房礎石［中井1997］

図9の大安寺僧房復原案は、部分的な発掘を積み上げることにより、妥当性が確認されつつある。平成5年までの発掘で確認された礎石位置によって『大安寺資財帳』に登記されていない西小子房の存在も明らかになった。天平19年以降に造営された施設であろう。

食堂位置に関する二つの見解——講堂の東か北か

図9は食堂位置についても、図10と異なる見解を提示しました。古代寺院の食堂は共食儀礼の場で、寺僧集団の結集拠点として重要な宗教施設です［吉川二〇一〇］。ただし、食料を貯蔵する倉や食事を準備する建物（厨・竈屋・大炊殿・碓屋）と一体で機能するので、儀式的施設であると同時に、俗的機能を兼ねた施設になります。そのため、立地的には、金堂・塔をはじめとする仏を祀る空間（＝仏地）と一定の距離を置いても、講堂・僧房などの僧の勉学修行空間（＝僧地）から容易にアプローチできることが必須です。地方の古代寺院で食堂位置が明らかになった例は稀ですが、都城の官大寺では、食堂・大炊屋・竈屋・厨などからなる食堂院が、講堂の東に立地する平城京興福寺や東大寺、講堂の北に立地する平城京薬師寺・唐招提寺・元興寺・法華寺、平安京東寺・西寺、講堂の東北に立地する平城京西大寺・西隆寺などがあります［奈文研二〇〇二b］。

大岡さんは大安寺食堂は、興福寺・東大寺と同様、講堂の東にあったと考えました。根拠にしたのが、F部分の食堂前廡廊とG部分の通左右廡廊です。C部分から、食堂は桁行一四丈五尺、梁行八丈六尺の東西棟（南北棟の食堂例はない）に復原できます。G部分の通左右廡廊は、中心伽藍から経楼・鐘楼・食堂に至る通路を表わしており、食堂に通じる長九丈九尺の通路があったことがわかります。F部分の食堂前廡廊は食堂正面の東西に長五五尺の回廊があったことを示しています。C・F・G部分を踏まえ、大岡さんは図12上の大安寺食堂復原図を提示しました。位置関係や数値に矛盾はありません。

これに対して図9は、食堂を講堂の北に考えました。食堂規模はもちろんC部分を遵守します

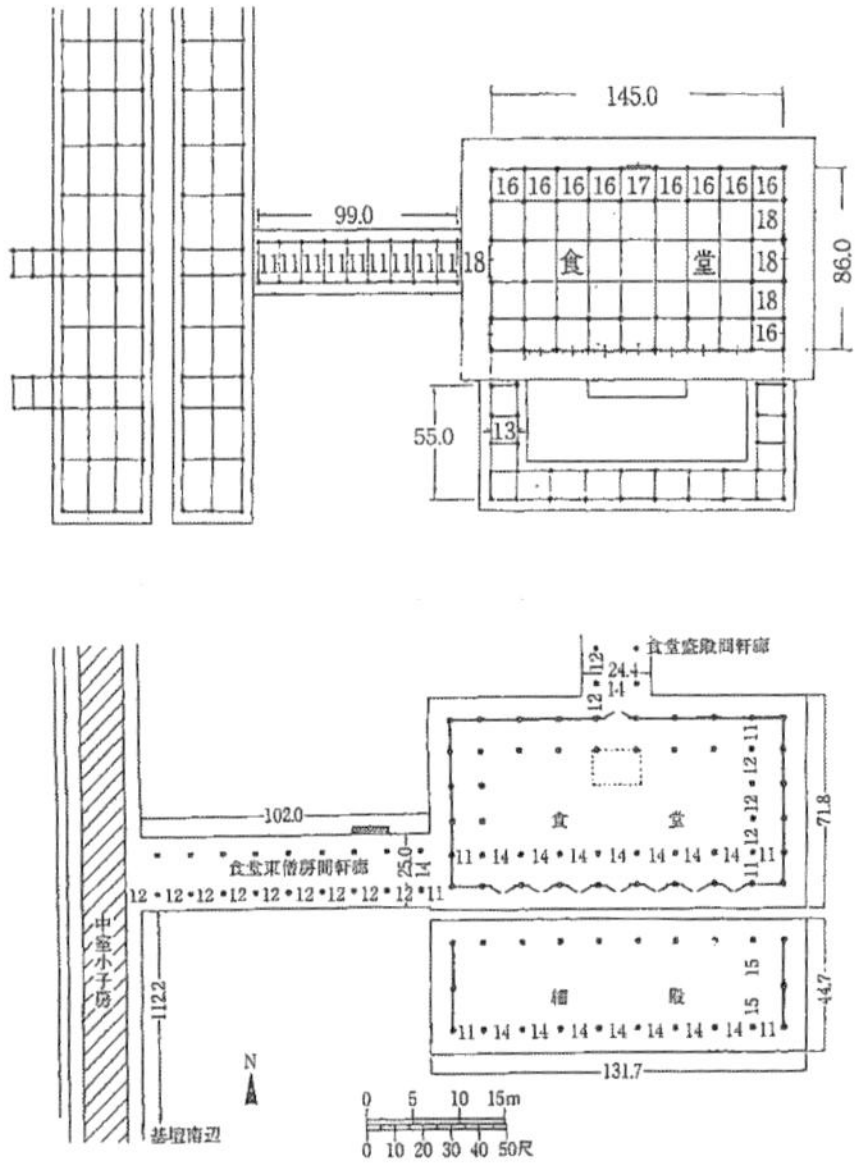

図12　講堂の東に立地する食堂

上：大岡復原大安寺食堂［大岡 1966］

下：興福寺食堂と細殿［奈文研 1959］

大安寺食堂は中心伽藍と長９丈９尺、広１丈８尺、高８尺５寸の通左右廡廊で結ばれていた（G部分）。食堂前の東西には長55尺、広１丈３尺、高１丈５寸の廡廊が取り付く（F部分）。大岡さんは食堂前に回廊で囲んだ広場があったと考えて、南にも回廊を設けたが、広場への入口は配慮していない。興福寺食堂のような細殿を前に置く双堂建築を念頭に置いたのだろう。図９のように講堂の北に食堂を置くと、中心伽藍と食堂を結ぶ通左右廡廊は、食堂前廡廊が邪魔になって、食堂に直接取り付くことができない。

が、講堂と食堂を結ぶ廡廊は長三〇丈近くあり、G部分の「食堂長九丈九尺」と大きく矛盾します。仮にG部分の「講堂北廊長五丈二尺」を差し引いても、『大安寺資財帳』登録の数値に合致しません。そもそも「通左右廡廊」は中心伽藍から東西の施設に通じる回廊を示す用語です。少なくとも、真北に向かう通路を通左右廡廊に含めるには説明が必要です。G部分では経楼・鐘楼への通路は「一行経楼、一行鐘楼」なのに、講堂からの通路は「二向講堂東西」「講堂北廊」と記載方式を変えています。これに注目すれば、食堂へ通じる廡廊の基点を講堂と考える史料の読み方は、正当とは思えません。

さらに、図9では、F部分の「食堂前廡廊」は存在すら無視され、まったく描かれていません。そもそも、食堂前（南面）に回廊を設置すると、講堂から北に延びた廡廊が直接食堂に取り付くことは不可能で、図9を主張するにはF部分を無視するほかないのです。なお、講堂の北に食堂を置く理由として、A部分の記載順序が右回りとする村田治郎さんの説［村田一九五四］を引用し「禅院・食堂・大衆院を、六条四坊二、七半、池山を七半、一〇半、賎院を一〇半、一一、苑院を一二、倉垣院を七条四坊九、花園を七条四坊一〇坪にあてている。大安寺の消防分署付近で食堂のものと思われる凝灰岩切石（礎石ともいう）が出土しているという。とすれば村田説のように食堂・大衆院を北に配するのが妥当であろう」と解説しますが［大岡一九六六］、G・F部分との矛盾についての説明はありません。

施設は時計回りに記述されているか

図9が依拠した村田説は「薬師寺縁起（醍醐寺本諸寺縁起集、長和四年作）」が引用する流記の薬師寺占地記事の順序や、「興福寺流記」で四門を南・西・北・東の順で記載していることを根拠としています。しかし、各種資財帳において、施設を時計回りで記載するのが原則だった証拠はありません。そもそも、問題にしているのは「天平十九年帳」ですから、それ以外の時期に作成された資財帳の記述法を論拠にしても、たまたま議論に好都合な薬師寺・興福寺例に便乗したとしか評価できません。事実、『大安寺資財帳』のB部分からO部分は、門・堂・楼・廊・廡廊・

僧房・井屋・宿直屋・温室院・禅院・太衆院・政所院・倉の順に建物施設を登記し、立地や方位は配慮していません。同じ「天平十九年帳」である「法隆寺伽藍縁起并流記資財帳」でも、門・塔・堂（燈楼・廡廊・楼・僧房・温室）・太衆院（厨・竈屋・政屋・碓屋・稲屋・木屋・客房）・倉の順に建物施設を登記しています。アプローチとなる門や中心的建物を先に登記し、優先順位がつけにくい施設は、機能が近似する建物のまとまりを意識しつつも任意に付記したようです。

『大安寺資財帳』のA部分も、塔院・堂并僧房等院・禅院食堂并太衆院までは重視すべき施設が並び、以下は任意配列と理解できます。それは第三章で述べた仏像リストにおいて、如来（仏）、世界観を表す繍仏、単独の繍仏・織仏・画仏、菩薩、四天王、八部、羅漢など仏世界のヒエラルヒーに準拠しながら、建物施設との関係で部分的にフレキシブルに登記する方法と基本的に同じです。現在もリスト作成時には重要性を優先し、余物は任意に付記するのが普通です。南が正面なので南から北へリスト化する可能性はあると思いますが、重要性を無視して、立地や方位を原則に取るに足りないものを冒頭に置くリストなどあり得ません。「興福寺流記」の門の記載順序も、南門が正面で、西門は平城宮へ通じる門であることが、一・二番に記載した理由で、南から時計回りで記載する方式が原則だったと考える必然性はどこにもありません。

食堂推定地の発掘成果

その後に実施された発掘調査は、食堂を講堂の真北に推定する説を完璧に否定しました。すなわち、図9の食堂跡推定地には杉山古墳の濠が伸びていて、食堂跡は痕跡すらなかったのです［奈良市教委一九九七」。しかし、発掘範囲は物理的に限定されるので、さらに西にある未発掘地にずらして食堂を講堂北方、すなわち六条四坊二坪内に推定する代案も提起されています。これが成立し難いことは、本章を通じて明らかにしますが、ここでは、とりあえず定説的な位置にあった図9の食堂位置が、『大安寺資財帳』の記載と齟齬するだけでなく、発掘成果でも否定された事実を確認するに留めておきます。

一方、大岡さんが食堂を想定した講堂の東方、すなわち六条四坊十一坪南半においては、奈良市教育委員会が大安寺の発掘を担当する以前、奈良県立橿原考古学研究所が発掘し、凝灰岩切石基壇をもつ梁行一間、桁行四間以上で南北に延びる廊状の礎石建物跡を検出しました（図13）。基壇南辺東方にも凝灰岩切石とその抜取痕跡が延びていますが、そこに礎石の痕跡はありません。調査を担当した亀田博さんは、食堂を講堂の北方に置く説で無視された『大安寺資財帳』F部分の「食堂前廡廊」に該当すると考えました。大岡さんは「食堂前廡廊」を食堂前面を東・西・南の廡廊が囲む形に復原しましたが（図12上）、F部分の割注は東西廡廊しか記載していないので、検出した「食堂前廡廊」は、大岡復原図よりもさらに『大安寺資財帳』の記載内容と形が合致しています。

同調査区では大量の瓦や三彩片・緑釉土器などが出土し、図9で賎院とされた十一坪南半部が、大安寺寺院地のなかで礎石瓦葺建物がある重要地区だったことを裏づけました。出土した軒瓦は四〇点を越え、大安寺式軒瓦を主体としつつ石橋瓦窯産軒瓦や大官大寺式軒瓦も含みます［橿考研一九七七］。この結果、食堂を講堂の東に置く大岡説の妥当性が高まったにもかかわらず、その後も、村田説を根拠とする図9が定説的地位を占め、食堂を講堂の東に推定する大岡―亀田説は評価されませんでした。たとえば、一九八四年に大安寺史編纂委員会が編集し大安寺が発行した『大安寺史・史料』においては、発掘調査成果を叙述した章で亀田説を紹介して「従来苑院《（マヽ）》にあたると考えられてきた東僧房の東方地区にも礎石建物が存在することが立証されたことは特に注目される」と評価するにとどまります［上野一九八四］。また、『大安寺資財帳』と検出遺構の

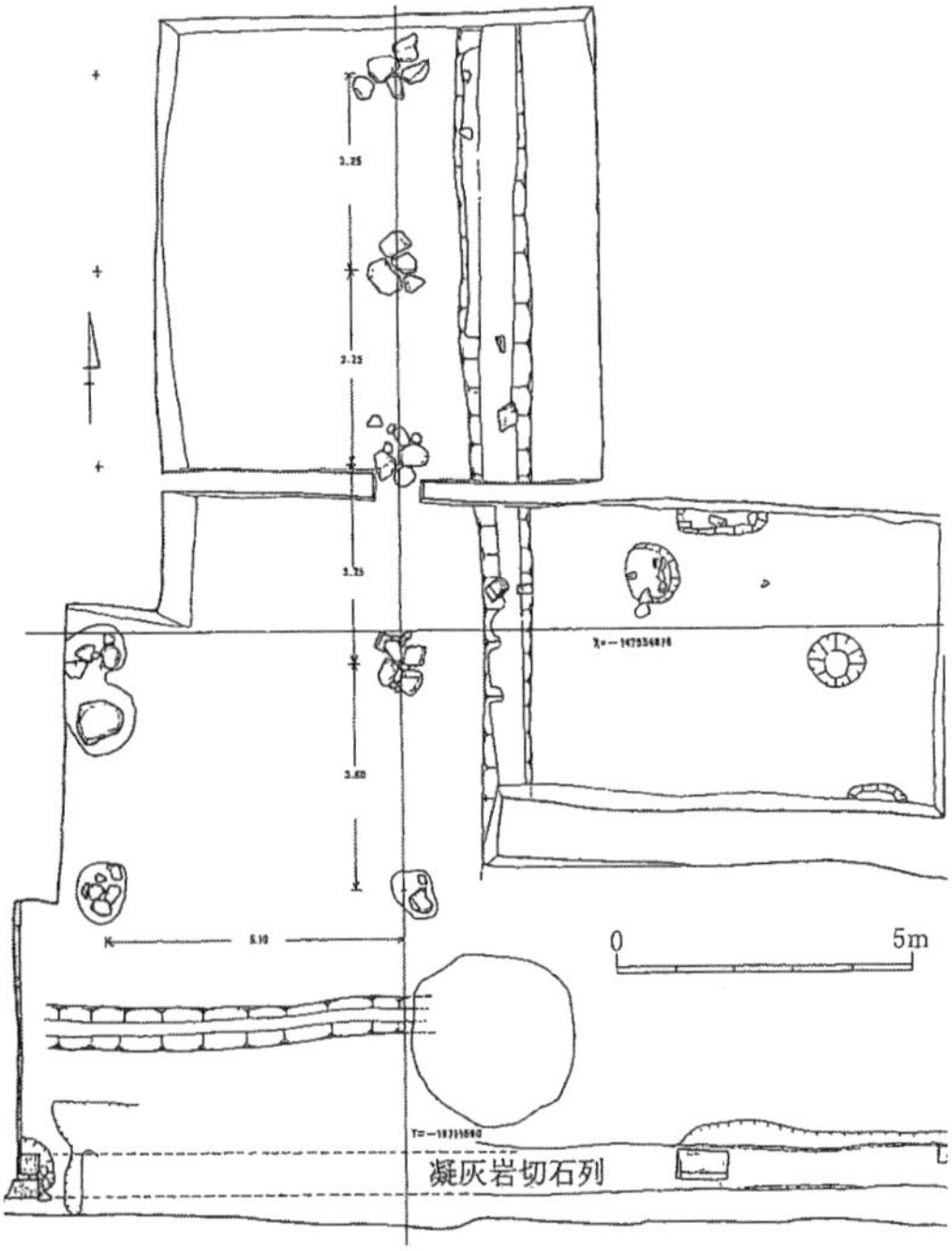

図 13　県教委 76-3 区検出遺構［橿考研 1977］

大岡さんが食堂に推定した場所の南で、梁行１間、桁行４間以上の南北に延びる礎石建物跡が検出された。礎石を据え付けた時に安定させる根石のみが残るが、調査を担当した亀田博さんは『大安寺資財帳』のＦ部分「食堂前西廡廊」に該当すると考えた。大岡さんは東・西・南の廡廊が食堂前の広場を三方から囲む復原図を描く（図 12 上）が、Ｆ部分には東西廡廊の記載しかなく、検出遺構は大岡説よりもさらに『大安寺資財帳』に合致する。調査区南端で検出した東西に延びる凝灰岩切石列の解釈は難しいが、興福寺食堂前細殿（図 12 下）や平安京東寺の食堂院を囲む回廊（図 15）と同様、食堂前の儀式空間を構成する一要素と考えられる。

両面から奈良時代の大安寺伽藍の全体像に迫った章では「近年、東僧房東方の六坪と十一坪境あたりの発掘調査において、廊状の礎石建物が発見され（中略）食堂を伽藍東方に置く見解が再び出され」と紹介し、一方で講堂真北に食堂が存在し得ないことを認めつつ「食堂は伽藍北方西寄りにあった可能性も考えられ」ると、図9にこだわり続けています［岡田一九八四］。

その後の発掘成果でも中心伽藍の北方、すなわち六条四坊二坪と七坪西半部に食堂を推定する説の蓋然性は低下しています。一方、中心伽藍の東方、すなわち六条四坊十二坪と十一坪南半に関しては、巨大な溜池（芝池）が十二坪南西部を大きく破壊し遺構検出が困難であるにもかかわらず、食堂説に有利な材料が増加しています。これらの発掘成果については、次項以下で「一坊半禅院食堂并太衆院」を推定復原した上で再論します。なお、F部分の食堂前東西廡廊やこれに合致する検出遺構（図13）は、食堂関連施設として類例が乏しく解釈しにくいようです。それが図9でF部分の記載を無視し、大岡―亀田説の評価が低い理由と思われます。これは食堂院の復原や機能に関わる問題です。

食堂院の復原――一坊半に収まる建物施設の全体像I

図9で提起された食堂復原案が妥当性を欠く理由は、単にF・G部分との不整合を説明できない（説明しない）ことや、発掘で不在が確認されたことにとどまりません。むしろ、一番の問題は、A部分に「一坊半禅院食堂并太衆院」とあるように、大安寺食堂が所在する区画には、いろいろな施設が同居していた事実を無視した点にあります。

食堂は単独で機能しません。食堂では、一定の作法にもとづき複数の僧が一緒に食事をしました。上座を占めるのが聖僧像で、彫像のくせに一般僧とは異なる超高価な金属製食器が聖僧のために準備されていました（第五章参照）。つまり、共食行為自体が法会の一環だったのです。天平一九年の大安寺には八八七人もの僧が所属するので、毎日、食堂で一斉に食事するのは物理的に困難です。現在、二月堂のお水取りに参加する練行衆が、仏餉屋《ぶっしょうや》において隔離した別火で食事して清浄を保つように、法会参加僧が食堂をおもに使ったと考えたほうがよいでしょう。たとえば毎年四月六・七日におこなった大安寺大般若会には一五〇人の僧が参加したので、長さ一四丈五尺（約四三・五メートル）、広さ八丈六尺（約二五・八メートル）の食堂で、一斉に食事するのはぎりぎりだと思います。少なくとも、土間の食堂では机・椅子などの配膳空間が必要です。一方、月に二回の反省会（布薩）には共食儀礼はともなわないので、食堂よりやや広い講堂を使えば、全員参加で実施可能でしょう。

それでは僧の日常の食事はどうしたのでしょうか。資財帳に登録されていませんが、大安寺寺院地を発掘すれば日常の食器（土器）も出土します。一七歳で出家した冷泉天皇の娘＝尊子内親王の道心を励まし慰めるため、源為憲《ためのり》（?～一〇一一年）が九八四年に書いた『三宝絵詞』中巻「法宝一八話」は、僧房で暮らした大安寺僧の日常の食事について「七大寺、古は室に釜・甑《こしき》を置かず、政所にて飯をかしぎて露車につみて朝ごとに僧坊の前よりやりて、一人の僧ごとに小飯四升をうく」と解説します。つまり、昔は今のように僧房ごとで調理せず、政所（寺務中枢施設、太衆院の一角）にある給食センターで炊飯し、車に積んで各僧房に配布したのです。律令の小升は約〇・二四リットルで、四升は約一リットル。九〇〇〇人分とすれば二リットルのペットボトルで一日四五〇本分の米飯を消費したことになります。

おかずの説明はありませんが、米飯だけでも、毎日、これだけの食事を準備する給食センターの仕事は重労働だったと容易に想像できます。給食センターは食堂だけでなく、炊事場（大炊屋《おおいや》・竈屋《かまどや》）や調理場（厨《くりや》）と一体で機能します。また、稲を保管する倉、稲を脱穀・精米する碓《うす》屋《や》、炊事に不可欠な水を汲む井屋も必要不可欠です。つまり、『大安寺資財帳』は食堂を金堂・講堂とともに「堂」に分類しますが（C部分）、機能的には太衆院に属する厨・竈屋・井屋・碓屋（M部分）とO部分に登録した太衆院にある板倉と一体なのです。その一体性を図14のように仮説的に図化し、これを食堂院と仮称します。

食堂院の機能――一坊半に収まる建物施設の全体像Ⅱ

すなわち、食堂規模（C部分）、食堂前の廡廊規模（F部分）、中心伽藍から食堂に至る通左右廡廊の規模（G部分）はわかっており、これを根拠に食堂柱間を桁行九間×梁行五間、通左右廡廊を九間、食堂前廡廊を南北四間と大岡さんは考えました［大岡一九六六］。調理・配膳機能をもつ厨は、長二二丈（約六六メートル）広五丈（約一五メートル）と巨大です。しかし、約九〇〇〇人分の食事を準備することを考えれば当然です。竈屋も長さ一一丈四尺（約三四・二メートル）、広七丈二尺（約二一・六メートル）と巨大ですが、ここには銅釜一〇口と鉄釜二二口の合わせて三二口の釜が並んでいました。すなわち、大安寺にあった三二口の釜のうち、温室にあった一口の鉄釜以外は通物で、給食センターの備品だったと考えられます（176・177行「合釜参拾参口 銅十口 之中一口足釜 一口懸釜 一口行竈 鉄廿二口 之中七口在足並通物 鉄一口温室分」）。釜は鋳造品で、『大安寺資財帳』は法量を明記しませんが、鉄釜より銅釜の容量が大きいようです。鉄では巨大な鋳造品は作りにくいのです。しかし、銅釜を登録する寺院資財帳は多くありません。小規模寺院では、それほど巨大な釜を必要としないか、高価な銅釜は入手できなかったのです。七四七年「法隆寺伽藍縁起并流記資財帳」では、温室で使う口径四尺五寸（約一・三五メートル）、深三尺九寸（約一・一七メートル）の巨大な釜だけが銅製でした。なお、火を使う竈屋は瓦葺でした（M部分）。現在の茅葺民家でも、台所だけ瓦葺にすることがあります。金堂・講堂とともに「堂」に登録された食堂（C部分）も瓦葺だったので、六条四坊十一坪南半部で瓦が多く出土するのは当然です。

図14では、厨・竈屋を東西棟にして食堂の東に置きました。古代寺院には厨や竈屋を食堂背後に主軸をそろえて並べる例があります。大岡さんも炊屋を食堂の北に置きました（図10）。しかし、図13から食堂を講堂の真東に置く妥当性が高まった大安寺では、食堂の背後に厨・竈屋を置くと、食堂院は六条四坊十一坪南半部に収まりません。つまり、A部分「一坊半禅院食堂并太衆院」の登録内容に反するのです。食堂位置を通左右廡廊九間と検出した食堂前西廡廊で決めると、厨・竈屋は食堂の東に置くほかありません。厨・竈屋以外に、毎日消費する九〇〇リットルの稲を保管する板倉一棟、それを搗いて精米する碓屋、調理に必要な水を汲む井屋は、図では竈屋のまわりに置きました。建物同士、二丈ほど離しましたが、配置は任意です。図14のように復原した大安寺食堂院は、食堂西端以外は六条四坊十一坪南半部にきれいに収まります（174頁・図21）。

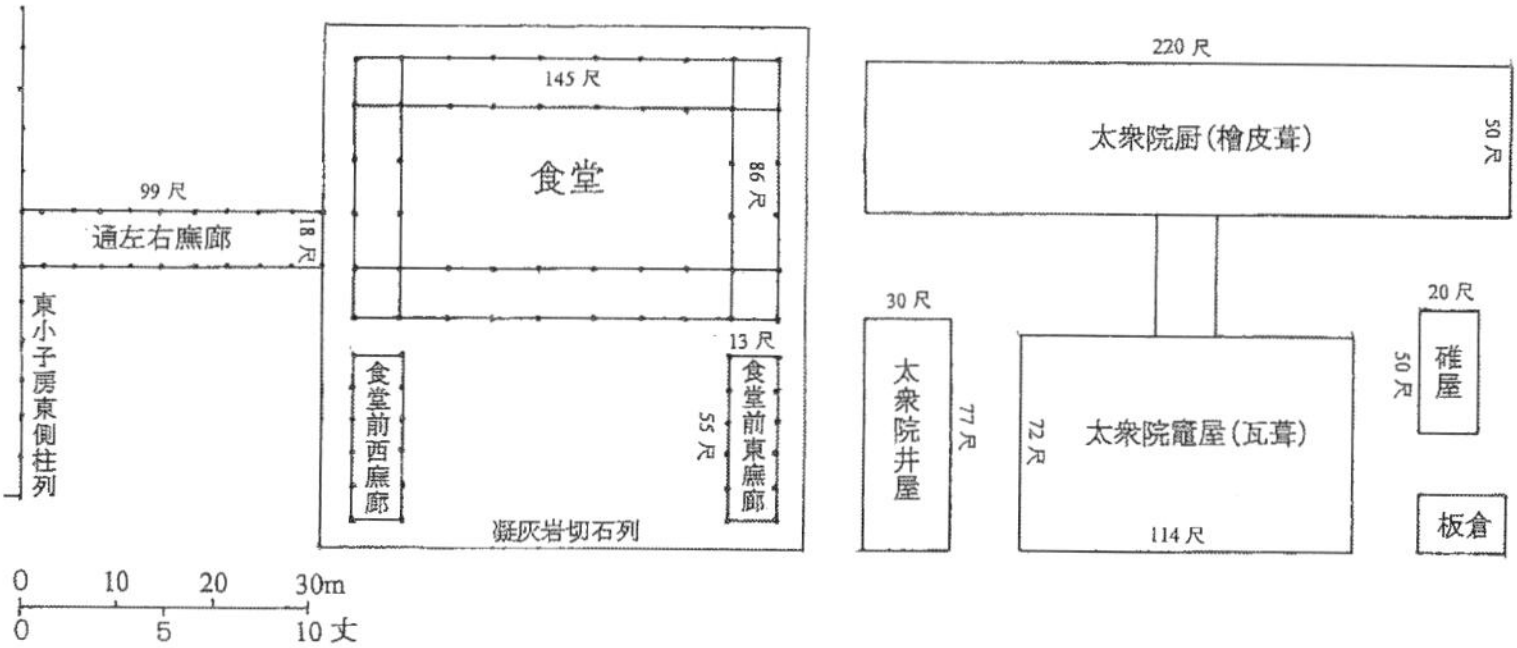

図14 大安寺食堂院推定復原図（1/1500）

講堂の東に食堂を推定する大岡説［大岡 1966］および県教委が調査した食堂前廡廊［橿考研 1977］の位置や規模はC・F・G部分に整合する。食堂の東には、M部分を根拠に食堂院の機能上必要な厨・竈屋・井屋・碓屋を、O部分を根拠に板倉１棟を抽出・配置した。いずれも太衆院に帰属すると明記され、「一坊半禅院食堂并太衆院」の構成要素となる。厨や竈屋が食堂の北に軸を揃えて並ぶ場合もあるが、食堂・太衆院屋を六条四坊十一坪南半部に収めるには食堂の東に置くほかない。A部分と整合する建物配置である。

Ｏ項に登録された太衆院の板倉一口だけを、食堂院の碓屋付属施設として十一坪南半部に置きましたが、残りの双倉四口と板倉二口も「一坪半禅院食堂并太衆院」に含まれます。倉が火を使う建物の近くにあると火災が心配ですが、資財の搬入や、寺院地内への配布を考えると、六条条間南小路の延長にある東門から入った構内道路の南側に太衆院倉庫群（171頁・図19）を配するのが適当だと考えました（図21）。

食堂前廡廊の機能——一坊半に収まる建物施設の全体像Ⅲ

『大安寺資財帳』と遺構で確認できる「食堂前廡廊」は例がなく、機能がはっきりしません。しかし、『大安寺資財帳』をもとに大安寺伽藍の全体像を考える立場を堅持する限り、「食堂前廡廊」を無視した復原案、すなわち講堂の北に食堂を置く説は成立しません。大岡さんはF部分に記載がない南廡廊も作図し、大安寺食堂前に広場空間を設定しました（図12上）。同時期の興福寺食堂はやはり講堂の東にあり、前面に細殿《ほそどの》と呼ばれる同じ桁行で梁行の狭い建物をともないます（図12下）。同じ桁行の建物が近接する双堂《ならびどう》（礼堂《らいどう》と正堂《しょうどう》）は、仏を祀る空間の奥行を深く見せる工夫と言われます。しかし、食堂は仏堂ではないので、食堂にともなう細殿には礼堂とは別の機能が考えられます。また、平安京東寺では講堂北方にある食堂院は中門から発した回廊が食堂の東西に取り付き、食堂の前面に小広場があります（図15）。食堂は法会の一環となる共食の場ですが、九〇〇人近くの僧を収容するスペースはありません。共食が公開儀礼でないにしても、大規模寺院では食堂前に細殿や小広場を設けて公共性を示したのでしょう。『大安寺資財帳』の食堂前廡廊も同様の機能を持つと考えておきます。

『大安寺資財帳』を根拠に復原した食堂院東部（厨・竈屋）付近では、小規模ですが発掘が実施されています（図16）。一九七六年の奈良県による発掘で、食堂前西廡廊の東方（県七六‐五次調査）でも礎石の根石を検出しましたが、奈良市埋蔵文化財センターが発掘した東隣接地（六六次調査）や北隣接地（八八次調査西）では、その延長は確認されていません。八八次調査で検出した遺構は図14に対応するわけではありませんが、厨や竈屋のような大規模建物の身舎《もや》内なら遺構が稀薄なことが説明できます。注目すべきは、西発掘区の掘立柱建物の柱穴や土坑、東発掘区の掘立柱塀の柱穴、北発掘区の井戸や溝から、奈良～平安時代の土器とともに大量の製塩土器が出土したことです。南の六六次調査区の土坑からも一括廃棄された製塩土器が出土しました。製

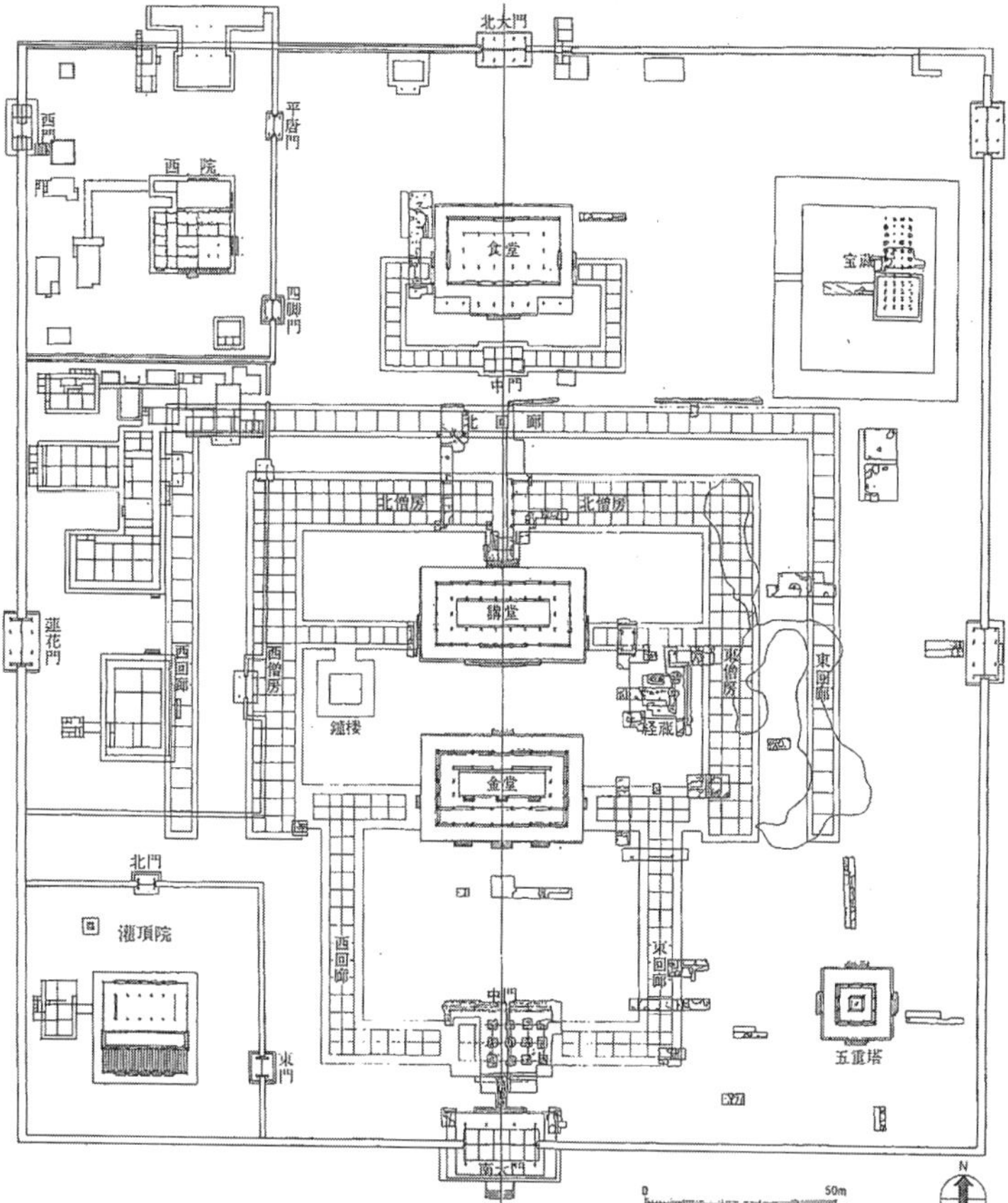

図 15　平安京東寺伽藍復原図［教王護国寺 1981］

平安京の西寺と東寺は、塔の位置が東西逆になる対称的伽藍配置で造営された。平安京全体の正面観を東寺と西寺が荘厳していたのだ。現在の東寺食堂は講堂の真北にあるが、創建時には講堂を囲む三面僧房、食堂の東西に取り付く回廊が間にあり、食堂の前面には閉鎖された小広場があった。この小広場の機能を示す史料にまだ遭遇していないが、食堂でおこなう共食儀礼との関係で必要だったのだろう。

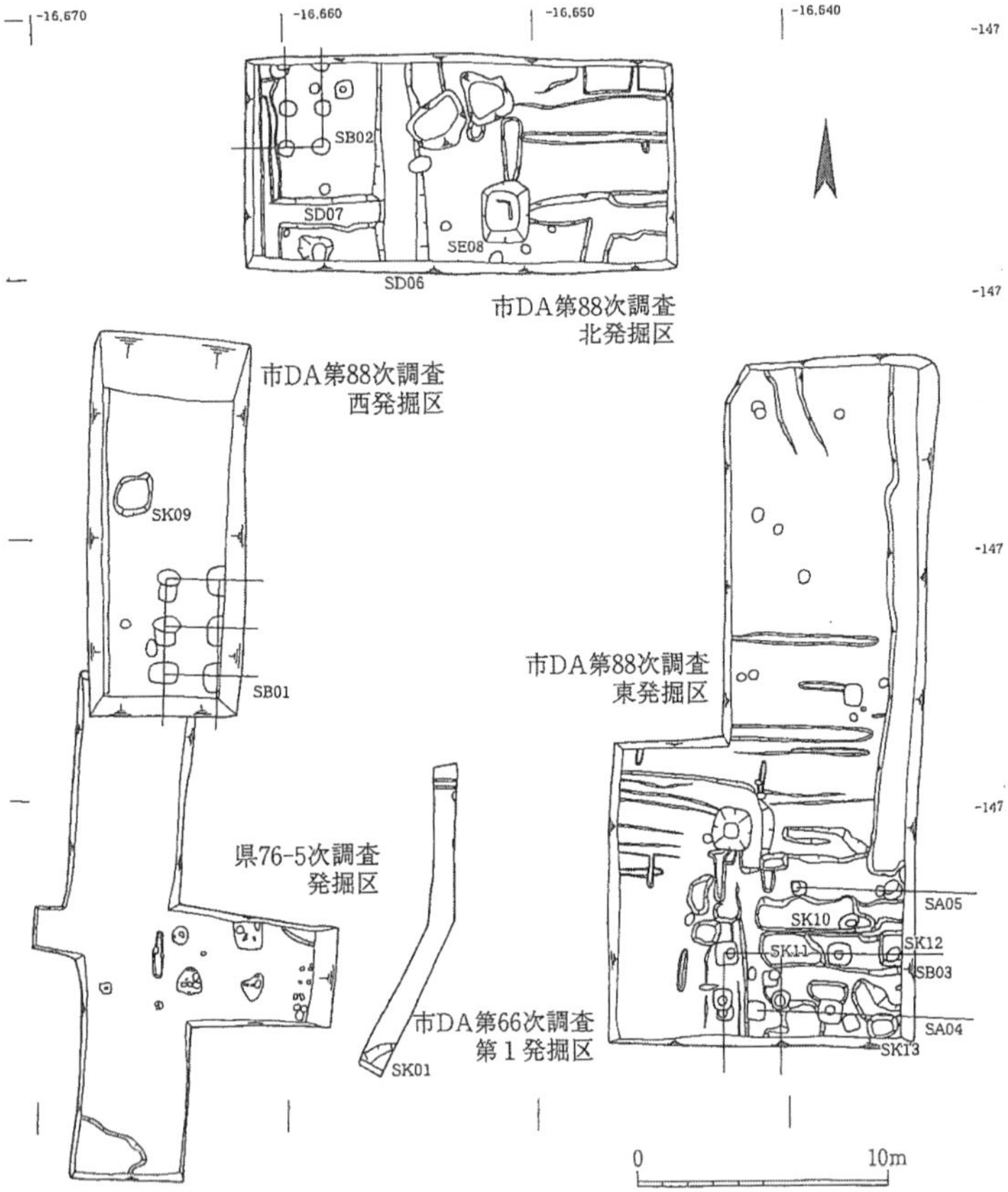

図 16　大安寺第 88 次調査区遺構図［奈良市教委 2002］

西発掘区の掘立柱建物 SB01 の柱穴や土坑 SK09、東発掘区の掘立柱塀 SA 04･05 の柱穴、北発掘区の井戸 SE08 や溝 SD06･07 から、奈良～平安時代の土器とともに大量の製塩土器が出土した。南の第 66-1 次調査区の土坑 SK01 からも一括廃棄された製塩土器が出土したという。大量の製塩土器が出土するのは、この地区に大安寺給食センター、とくに調味料を保管・使用する厨などがあった証拠である。

塩土器は生産地から塩を運び込んだ時の容器で、大量の製塩土器が出土するのは、この地区に大安寺給食センター、とくに調味料を保管・使用する厨などがあった証拠です。西大寺食堂院の井戸からも千個体分以上の製塩土器が出土しました［神野二〇一二］。また、北発掘区で井戸が検出されたことは、太衆院井屋の存在を暗示します。奈良県が検出した遺構は国土座標に対応しないので、その後に検出した遺構との厳密な位置関係は再発掘して確認する必要がありますが、大量の製塩土器が出土した事実は、当該地が給食センターとして機能したことを裏付けます。図9のように六条四坊十一坪南半部を賎院とすると、製塩土器は合理的に説明できません。

禅院の構造と機能——一坊半に収まる建物施設の全体像Ⅳ

食堂院は禅院・太衆院とともに大安寺寺院地の一坪半を占めていました（A部分）。そのうち太衆院を構成する建物のいくつかが、食堂と一体で食堂院を構成したことは前項までに述べたとおりです。食堂院に属さない太衆院屋の他の建物に関しては次項以下で述べ、ここでは禅院について検討します。大安寺禅院に関する史料は乏しいのですが、古代寺院では中心伽藍を構成する講堂・僧房を拠点として修学に努める学侶に対し、山林修行や民間布教を得意とする禅師の拠点となるのが禅院でした。玄奘三蔵《げんじょうさんぞう》に師事し行基の師でもある道昭（道照）が拠点とした飛鳥寺東南禅院はとくに有名です。東南禅院の南にある飛鳥池遺跡（奈良県立万葉文化館敷地）では、東南禅院所用瓦の窯跡も発見されています。

『大安寺資財帳』は、保有する銭・銀、糸・布帛、稲米などの交換財の使途として、功徳分《くどくぶん》・

義物銭《ぎぶつせん》・悲田分《ひでんぶん》・衣田分《いでんぶん》などの高額な布教・慈善活動費を計上しています。以下に述べる大安寺禅院が充実しているのはこれに対応します。つまり、予算面でも施設面でも、大安寺は積極的に寺外に進出して山林修行にはげみ、布教活動・慈善活動に尽力する体制をとったことになります。七四七年「法隆寺伽藍縁起并流記資財帳」には禅院はなく、布教・慈善活動費も計上していません。大安寺は天皇発願の官営寺院で、国家に密着した宗教活動ばかりやっていたと考えられがちですが、資財帳の登記内容は、その先入観を払拭します。このように奈良時代の大安寺における宗教活動を理解する重要施設であるにもかかわらず、大安寺伽藍復原に際して、禅院はまったく無視されてきました。

　建物の位置関係は不明ですが、L部分から禅院が堂一口、僧房六口、廡廊一条から構成され、O部分から甲倉《かぶとぐら》一口が付属していたことがわかります。堂を中心に、棟割長屋の僧房が東西と北の三方を囲む三面僧房が定型的な建物配置となりますが、僧房が六棟と多いので北だけ二重に僧房を配しました（図17の復原図Ⅰ）。ただし、僧房六口のうち一口は長六丈三尺、広三丈八尺と棟割長屋の平面形ではないので、これを講堂的施設として図17の復原図Ⅱも想定できます。禅院の甲倉には修行や布教の道具を保管したはずで、『大安寺資財帳』の鉢（托鉢《たくはつ》）や錫杖《しゃくじょう》・誦数（数珠）に該当物がありそうです。しかし、金属製の鉢や錫杖、水晶・琥珀・菩提樹・白檀・牙・銀製の数珠は仏物や聖僧物として登録されており、禅師が修行・布教に用いる道具は資産価値が少ない材質の製品か個人に帰属する製品とすれば、『大安寺資財帳』には登録されていない可能性もあります。

禅院の所在地——飛鳥寺や広隆寺からの類推

食堂院が六条四坊十一坪南半部をほぼ完全に占めるので、禅院は十二坪に立地することになります。飛鳥寺東南禅院は、唐から帰国した道昭が居住した施設で、塔頭《たっちゅう》（子院《しいん》）の先駆形態です。道昭の経歴［『続日本紀』文武天皇四〈七〇〇〉年三月一〇日の卒伝］からすると、各種の公務から解放され、民間布教や架橋などの土木工事をはじめとする慈善事業に専念するようになった時、その拠点とした施設が飛鳥寺東南禅院と考えられます。同様に平安京の西郊外にあった広隆

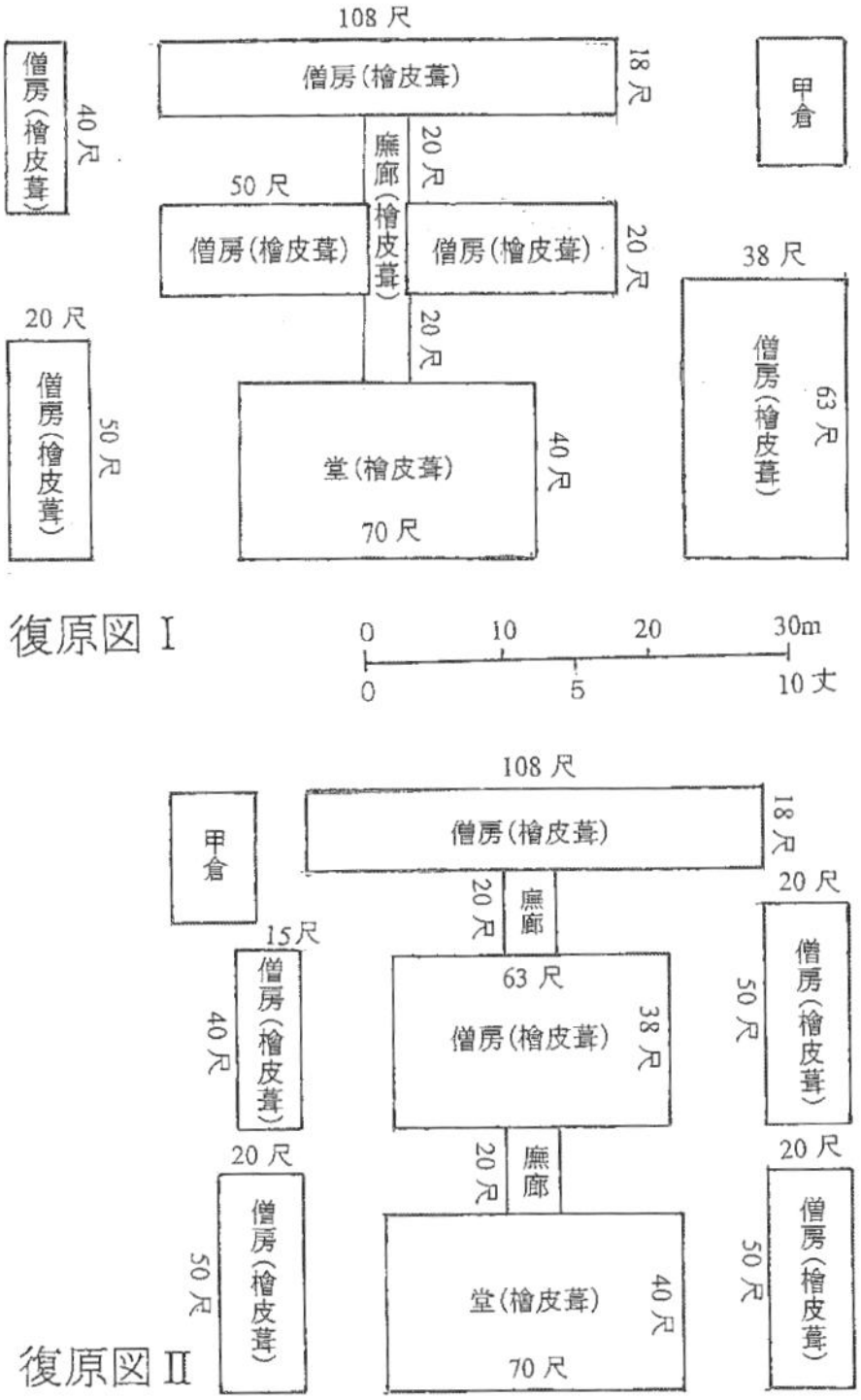

図 17 大安寺禅院推定復原図 (1/1000)

L部分から大安寺禅院は堂１棟・僧房６棟と廡廊からなり、O部分から甲倉１棟が付属したことがわかる。８世紀における禅院の構造を示す史料はないが、堂に講堂機能を想定し、三方を棟割長屋の僧房で囲んだ。長大な僧房を小子房的に背後に置いたのが復原図Ⅰ。長屋的ではない僧房１棟を、堂に準じた施設としたのが復原図Ⅱである。禅院は布教・慈善活動の拠点で、大規模な法会は実施する場所ではないと考え、庭儀空間は設けなかった。

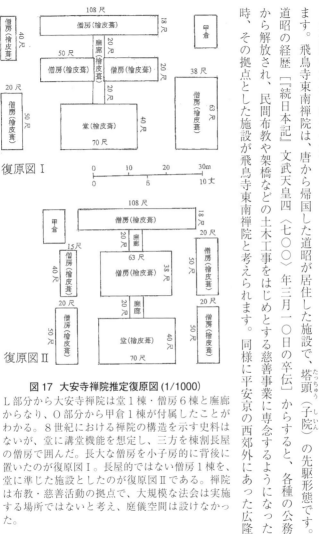

寺東院も広隆寺寺院地の東南部に立地し、平安前期における広隆寺復興事業を推進する別当職を退いた道昌が、民間布教の拠点とした別院（塔頭・子院の先駆形態）です［上原二〇二〇］。こうした前例や後続の類似施設から推定して、大安寺禅院も大安寺寺院地の東南隅、すなわち六条四坊十二坪に立地したと考えられます。

想像をたくましくすると、律師職を退いた道慈が平城京の布教拠点とした可能性もあります。『続日本紀』の卒伝は晩年の道慈について言及しませんが、『懐風藻』所収「釈道慈二首」の詞書には、「拝僧綱律師。性甚骨硬。為時不容。解任帰遊山野。時出京師、造大安寺（僧綱の律師を拝命したが、意志が堅く権力におもねることがなく、時代に容れられなかった。律師職を退いて山野に遊び、時には平城京に出かけて大安寺の充実に寄与した）」とあります。収録された第二首は、竹渓山寺（大和高原の都祁村にあった山寺？）にいた律師着任以前の道慈が長屋王の招待に対し「僧既方外士、何煩入宴宮（私はすでに俗世と縁のない身です。どうして晴れがましい宴宮に出席できましょう）」と辞退した漢詩です。

大安寺政所院と温室院——一坊半と関係が深い建物施設

M部分に登録された太衆院屋六棟のうち、厨・竈屋・井屋・碓屋の四棟は、食堂とともに食堂院＝給食センターを構成すると考えられますが、残りの二棟＝維那房については前著［上原二〇一四］では所在を特定しませんでした。しかし、維那は都維那を意味します。僧や寺を管理する三綱（上座・寺主・都維那）の役職名です。とすれば、維那房は寺務を司る政所院《まんどころいん》に属すると思われます。しかし、『大安寺資財帳』はN部分で政所院を登録します。七四七年「法隆寺伽藍縁起并流記資財帳」では太衆院屋一一口の中に政屋や客房があり、七八〇年「西大寺資財流記帳」では食堂院・馬屋房・正倉院とともに政所院があり、政庁や倉・厨が所属します。また、七九〇年「広隆寺資財交替実録帳」では、通物章として倉・政所庁屋・厨屋・炊屋・湯屋・厩・客房を登録します。つまり、古代寺院の政所は、食堂院や太衆院の近くにあるのが一般的なのです。僧の日常生活や寺院経営に関わる建物を集中したのです。しかし、大安寺寺院地の構成を説明したA部分は、政所院の所在を明記しません。

前著では、政所や温室は太衆院と一体の場合が多いので、所在が明記されていない政所院や温室院も「禅院食堂并太衆院」と同じ一坪半のなかにあると予測しました。しかし、作図してみると、政所院や温室院は六条四坊十二坪と十一坪南半部には収めにくい事実に気づきました。建物施設が稠密すぎるのです。政所院は寺務中枢なので、中心伽藍から遠く離すわけにはいきません。寺院地がさほど広大ではない広隆寺では、食堂院の北に政所院を想定しました［上原二〇二〇］。しかし、大安寺の食堂を講堂の北に置いた場合、厨や竈屋は西に隣接させるほかなく、政所院は寺院地北端に設けるほかありません（177頁・図22）。広大な大安寺寺院地における寺務中枢の立地にふさわしくないと考えます。ここでも、食堂を講堂の北に想定する説の欠陥が露呈しています。そこで、維那房を含めて政所院の構造を図18のように推定し、前項で想定した禅院の西に配置します。禅院に接近させれば、政所院も十二坪内に収まりますが、むしろ、政所が寺務中枢であることを配慮すれば、東四坊坊間大路の延長に僧門を想定し、その延長を中軸とする構造が適当です（174～175頁・図21）。これで政所院西半部は六条四坊五坪に立地し、政所院が「一坊半禅院食堂并太衆院」に含まれず、維那房を太衆院に含めた理由が氷解します。「建物施設を復原する原則――僧房の場合」項で確認したように、伽藍復原にはA部分記事との整合が不可欠です。

なお、『大安寺資財帳』B部分は、大安寺の門九口を仏門二口と僧門七口に分類します。割注から仏門が南大門と中門に該当することは明らかですが、仏門という以上、仏の通路で一般通路ではなかったはずです。正面の六条大路から大安寺に入る時は、僧は政所院に直通する東四坊坊間大路の延長にある南僧門を利用したと考えると合理的です。

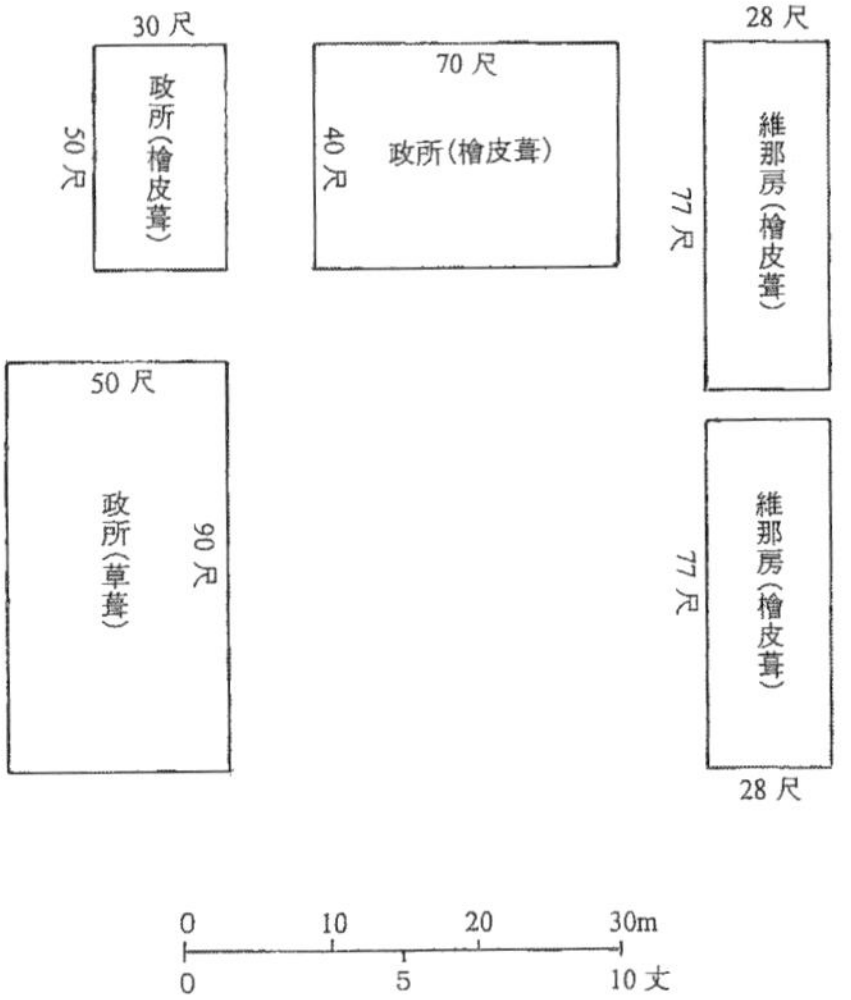

図18 大安寺政所院推定復原図(1/1000)

N部分は2棟の檜皮葺建物と1棟の草葺建物を政所院として登録するが、M部分の太衆院に含まれる維那房も寺務を掌る政所院の建物に加えるべきだろう。檜皮葺の大規模建物を正殿風に配し、東に維那房2棟を、西に政所院の建物2棟を脇殿風に配した。このように復原して、寺務中枢の政所正殿が東四坊坊間路に開く南僧門に面するように配置すると(図21)、維那房は六条四坊十二坪に、政所の建物は五坪に位置することになり、A部分の記載内容にも整合する。

政所院の位置比定と同じ原則は、K部分の温室院の室三棟（図20）にも該当します。A部分は温室院の所在を明記しません。しかし、温室は布薩をはじめとする法会に先立ち僧が身を清める施設で、また布教・慈善活動などで外出した僧が、寺に戻った時に俗塵を除く場所でもあります［上原二〇〇五］。僧房や中心伽藍の近く、禅院の近くに立地するのが好都合です。しかも、温室の維持管理には燃料や水が不可欠で、食堂院や太衆院の竈屋・井屋の近くにあるのが便利です。七四七年「法隆寺伽藍縁起并流記資財帳」の温室は僧房と太衆院屋の間に登録され、八九〇年「広

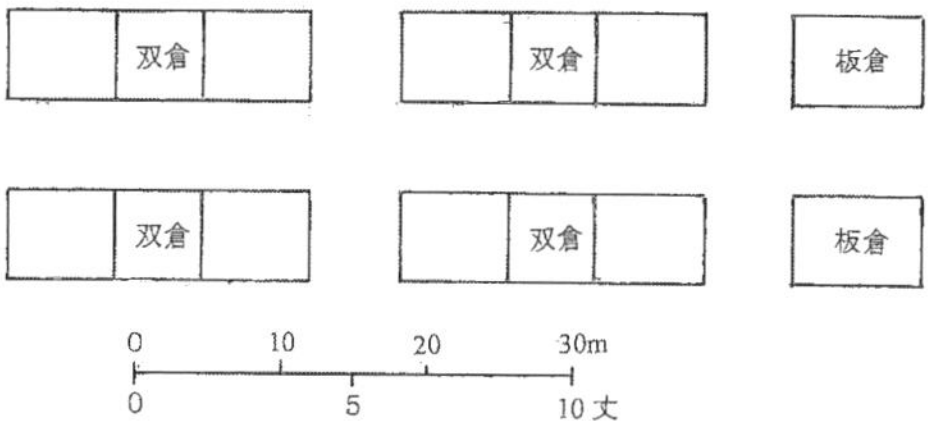

図 19 大安寺太衆院倉庫群図 (1/1000)

O 部分では双倉４棟・板倉３棟を太衆院に登録するが、規模の記載もなく、想像して図化するほかない。板倉１棟は碓屋で必要とする稲米保管庫として食堂院南東隅に置き、残りは搬入が容易な東僧門から入った構内道路の南側、すなわち六条四坊十二坪の北端にまとめた。

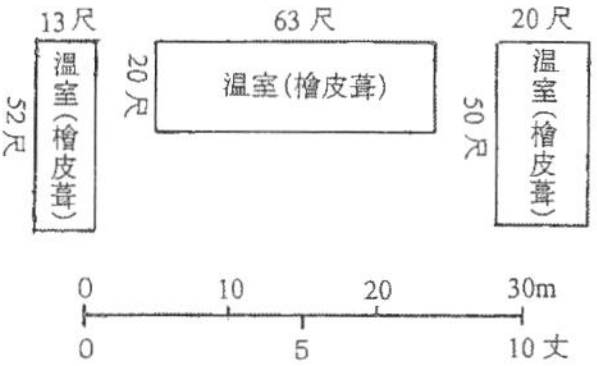

図 20 大安寺温室院推定復原図 (1/1000)

K部分の温室院は室３棟からなるが、所在や配置を復原する根拠は少ない。温室院もA部分に登録されていないが、古代寺院における温室や湯屋は太衆院を構成するのが一般的で、六条四坊十一坪南半部と十二坪に近接して立地したはずである。

隆寺資財交替実録帳」では、通物章の湯屋は厨屋・炊屋の後、厩・客房の前に登録されています。しかし、食堂院のある十一坪南半部は満杯で、十二坪北半部でも、東門の近くは太衆院倉庫群（図19）があるので、火気をさける必要があります。とすると、西隣の五坪にはみ出して温室院を設けざるを得ません。

機能的かつ『大安寺資財帳』に忠実に諸院を配置する

以上、A部分「一坊半禅院食堂并太衆院」に関し、F・K・L・M・N・Oの各部分に登記された建物数や規模を具体的に検討し、機能的にふさわしい配置や場所を推定しました。それを総括したのが図21です。食堂前東廡廊を含む食堂および食堂と不可分な太衆院の厨・竈屋・井屋・碓屋と板倉一棟は、六条四坊十一坪南半部にきれいに収まり、六条条間南小路の延長にある東門（図21では「東僧門」と仮称）から入った構内道路の北を占めます。G部分の「合通左右廡廊陸条」のうち、東小子房から食堂にのびる長九丈九尺の廡廊は、食堂西端とともに十一坪南半部ではなく六坪に属しますが、食堂に至る通路は「一坊半禅院食堂并太衆院」に含まれないので、『大安寺資財帳』の記事と整合します。

禅院は飛鳥寺東南禅院や広隆寺東院などの前例や後継例から、十二坪東南隅に想定しました。図21には復原図Ⅰ（図17上）を採用しましたが、復原図Ⅱでも余裕で収まります。太衆院屋に登録された維那房二棟は、機能的に政所院の一部を占めますが、N部分の政所院西半部は「一坊半禅院食堂并太衆院」に含まれません。六条大路に面した南大門は仏門で僧尼も自由に通行できないので、東四坊坊間大路の延長にある僧門（図21では「南僧門」と仮称）の中軸に政所正殿を配すれば、維那房は太衆院屋として十二坪内に収まっても、政所院西半部は西の五坪に属します。僧房配置で確認したA部分の正確さは守られています。残りの太衆院屋の倉は、禅院の北、東門から延びる構内道路の南に配置すれば、資材搬入の便に供することができます。しかし、食堂院・太衆院・禅院と近接するのが望ましい温室院は、火気をともなうので倉からは一定の距離が必要で、「太衆院」には含めずに独立させ、一部は西の五坪に属します。ここでもA部分は律儀に守られています。

寺院地北部に禅院食堂并太衆院は収まらない

以上、六条四坊十一坪南半部・十二坪と六坪・五坪の東端に、「一坊半禅院食堂并太衆院」および機能的に関連の深い政所院と温室院を配してみました。仮説ですが、『大安寺資財帳』の記述と矛盾なく諸院が収まります。寺院地東南部には大型建物がきわめて稠密に建っていたことになります。これだけの建物施設は、従来、食堂の所在地として有力視されていた六条四坊二坪・七坪西半部には収まりません。その事実は、半世紀近くも前に岡田英男さんが予測していました。すなわち「六条四坊七坪全体を池と岳とすると、北東中房がかつての想定よりもさらに北へ寄ることもあって、六条四坊二坪を中心に、西北隅を食堂・禅院・大衆院にあてると建物の密度はたいへん高いことになる。主要伽藍と塔院のほかに、七坪の杉山古墳が〈池并岳〉に当ることは問題ないとしても、従来考えられている寺域内の他の院地の配分は、今後の調査の進展によって

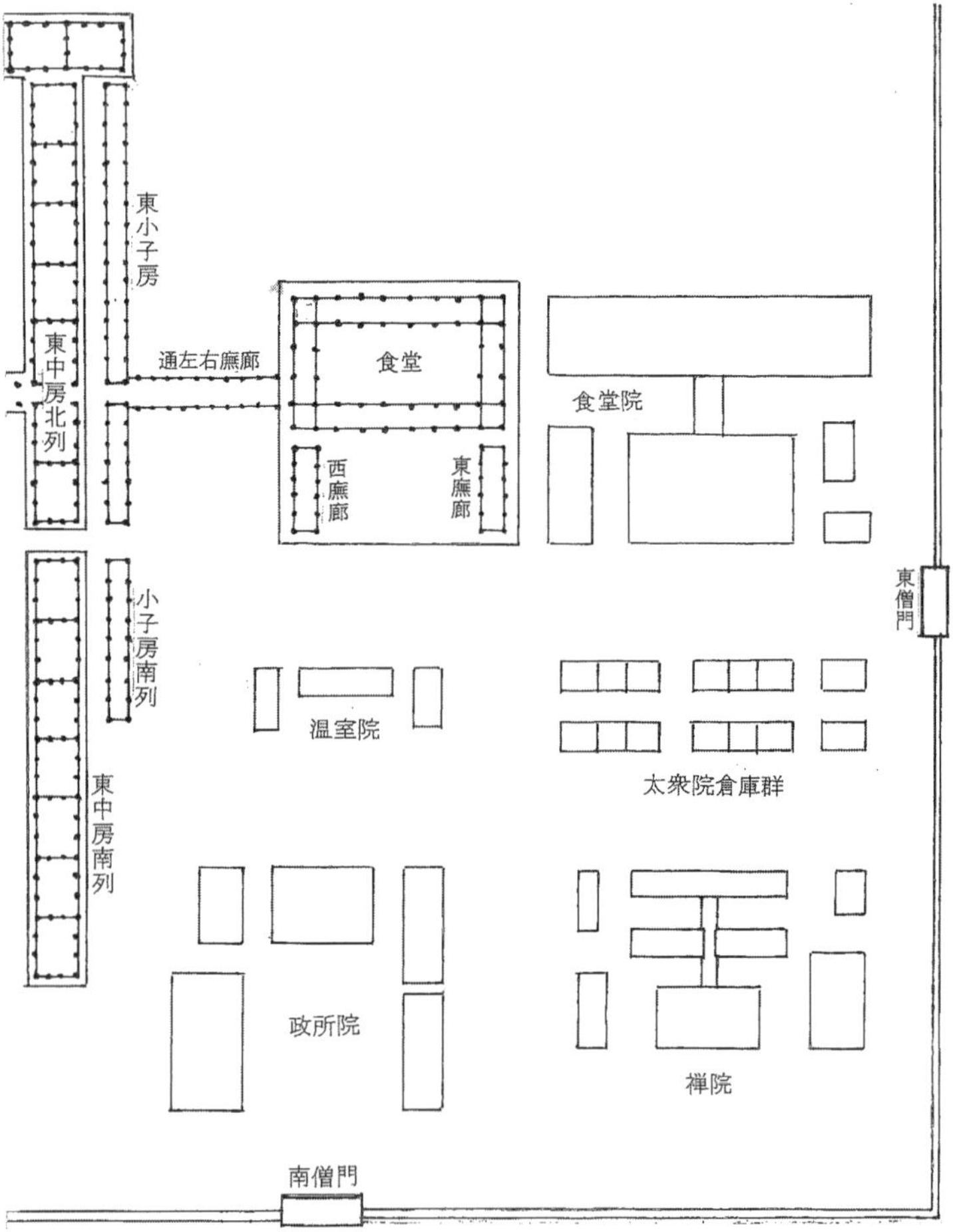

院が十二坪に収まっても、維那房を除く政所院や温室院が隣接する五坪東端まではみ出すことがわかる。つまり、本図は『大安寺資財帳』の登記内容ときわめてよく整合する。

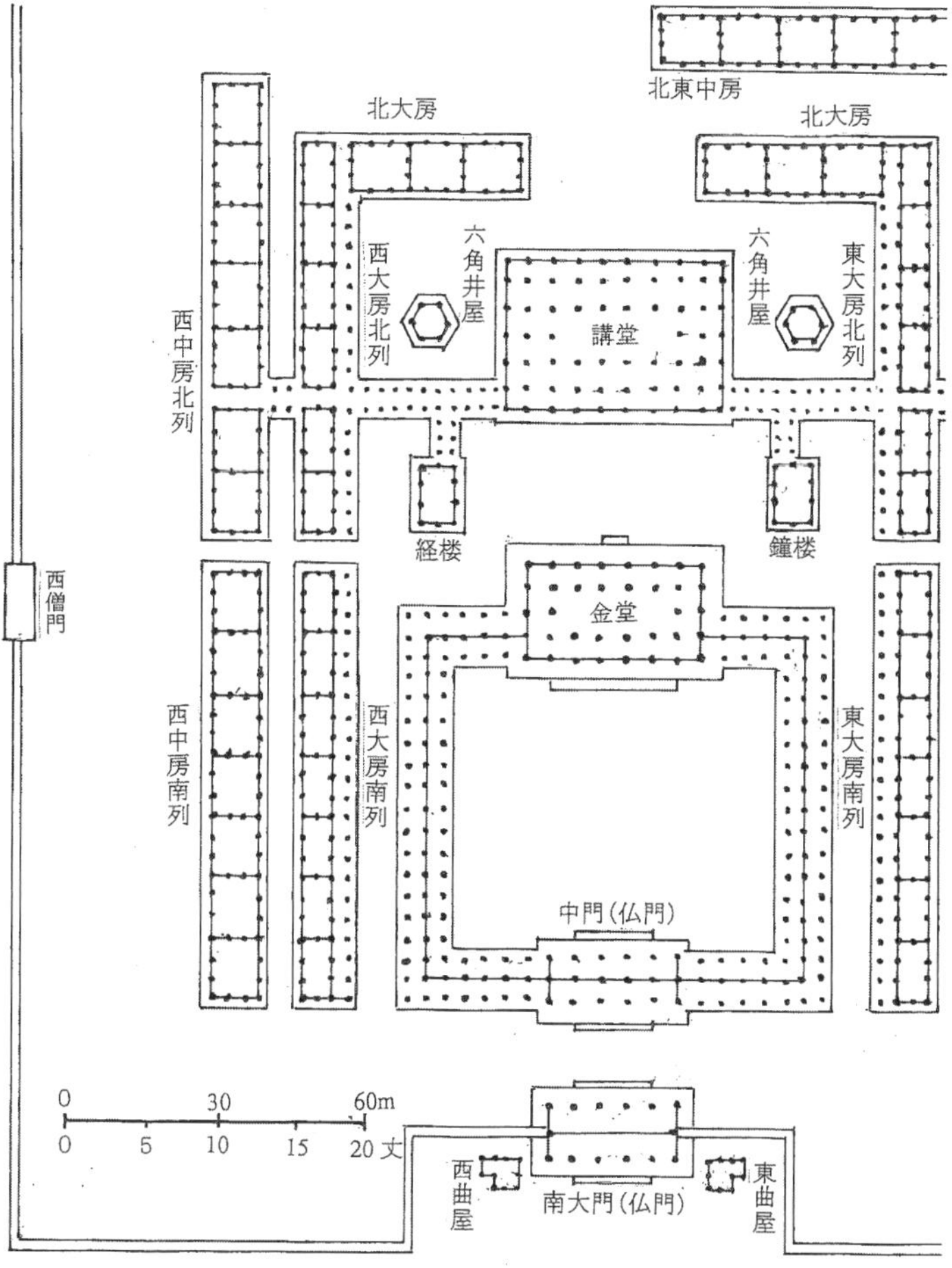

図 21 六条四坊三～六・十一・十二坪の建物施設復原図 (1/2000)

六条四坊三～六坪の大安寺「堂并僧房等院」の東に、食堂院 (図 14)・禅院 (図 17)・政所院 (図 18)・太衆院倉庫群 (図 19)・温室院 (図 20) を、解説および本文の論理にもとづいて配置した。食堂院が六条四坊十一坪南半部に、禅院と太衆

再検討が必要となるかもしれない」と予測していたのです［岡田一九八四］。

金堂・講堂・中門・回廊・僧房および食堂など、中心伽藍を構成する建物を大安寺伽藍配置図に描き込んだ例はありますが、禅院・太衆院・政所院・温室院も含めて『大安寺資財帳』に記載された建物施設の全体像を推定した先行研究はありません。たまたま目にとまった図22は、講堂の真北に置いた食堂の西に厨と竈屋、その北に政所院を配した数少ない意欲的な伽藍配置図です。しかし、食堂長はC部分の一四丈五尺を守っていますが、厨・竈屋ともにM部分の記載内容より小規模です。さらに、厨・竈屋以外の太衆院屋（維那房二棟、井屋、碓屋、双倉四棟、板倉三口）および禅院は無視しています。つまり、食堂が講堂の真北にあり、「一坊半禅院食堂并太衆院」およびそれに関係する政所院などが左京六条四坊二坪と七坪西半部の施設であると仮定すると、『大安寺資財帳』が登録する当該建物群を全部収めるのは困難であることを、はからずも図22は露呈したのです。二坪は東三坊大路に面しているので、小路に面した十一・十二坪より坪面積が狭いことも、稠密な建物施設が収まらない一つの理由です。

発掘成果により講堂の真北に食堂を置く案は破綻しました。加えて杉山古墳周濠は予想以上に西に延び、七坪西半部に稠密な建物群を収める半坊を確保できないこともわかりました。「一坊半禅院食堂并太衆院」を六条

図22 食堂院の厨・竈屋や政所院を北に置く伽藍配置案（1/4000）

食堂だけでなく、食堂院を構成する厨や竈屋、政所院も「堂并僧房等院」（六条四坊三～六坪）の北に描き込んだ数少ない意欲的な大安寺伽藍配置図である。しかし、厨・竈屋・政所院の建物は『大安寺資財帳』の記載よりも小規模で、禅院や他の太衆院施設の存在を無視している。図21では「堂并僧房等院」の東に収まった食堂院・禅院・太衆院・政所院・温室院が、六条四坊二坪と七坪西半部の一坪半には収まりきらないことを、はからずも露呈した図となった［奈文研 2002b］。

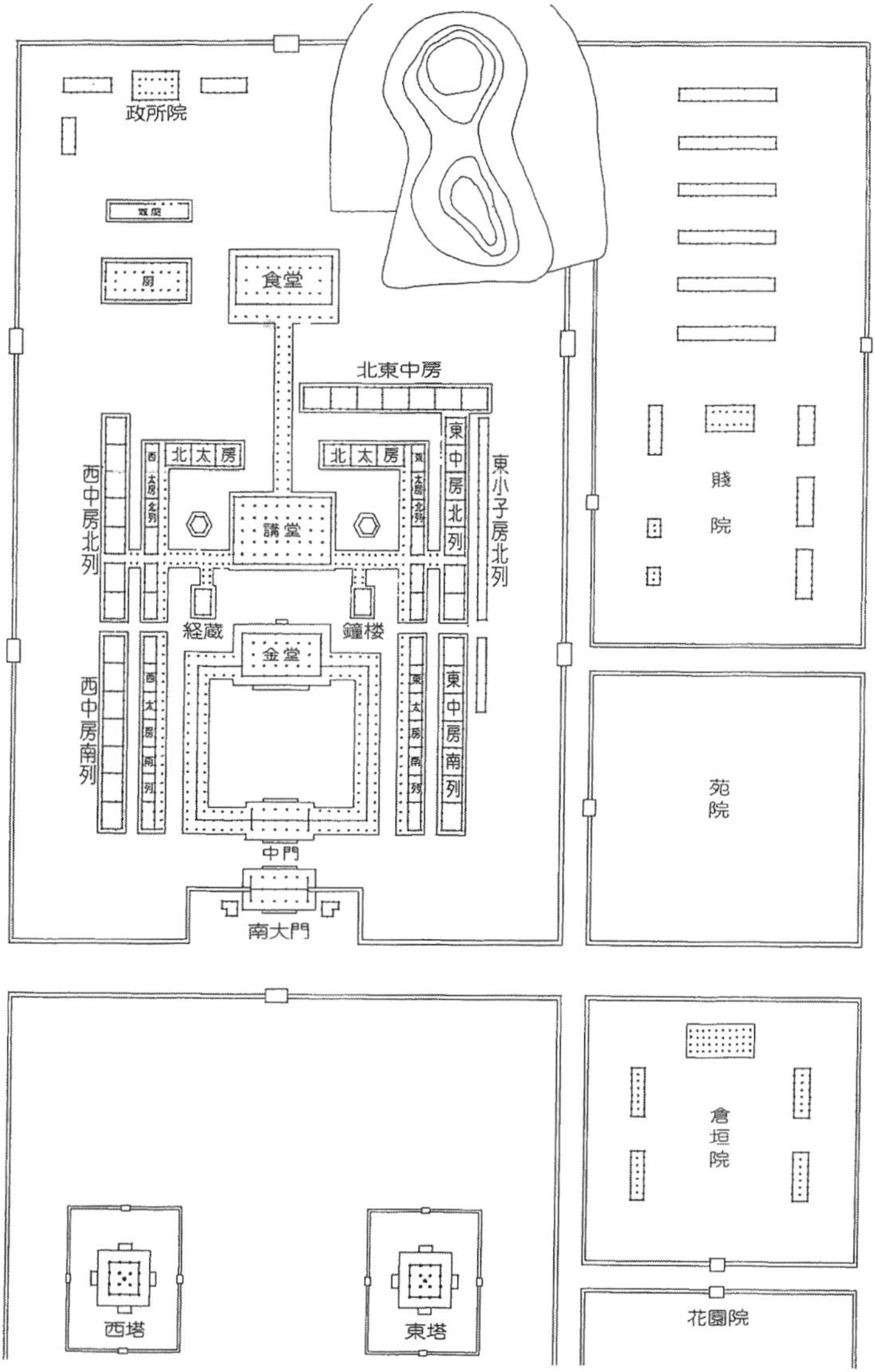
政所院
厨
食堂
北東中房
北太房
北太房
西太房北列
東太房北列
東中房北列
東小子房北列
西中房北列
講堂
経蔵
鐘楼
金堂
西中房南列
西太房南列
東太房南列
東中房南列
中門
南大門
賤院
苑院
倉垣院
花園院
西塔
東塔

四坊二坪と七坪西半部に比定する説は絶望的と断言できます。しかし、杉山古墳の発掘報告において絶望的状況を打破し、かつ寺院地西北部に食堂を想定する新説が提起されました［奈良市教委一九九七］。

発掘を踏まえた「寺院地西北部の食堂」説

発掘しても講堂の真北に食堂がないので、「食堂は伽藍北方西寄りにあった可能性」も岡田英男さんは考えていました［岡田一九八四］。食堂の有力候補地だったためか、杉山古墳の周辺は史跡整備にともなう発掘調査が集中的におこなわれています。杉山古墳後円部は、大安寺寺院地北限とされた六条条間北小路が横断します。ところが、発掘では北小路の痕跡はありませんでした。奈良市教育委員会はこれを踏まえ、寺院地北限を六条条間北小路ではなく五条大路と考える新説を提起します。すなわち、六条四坊二〜七・十〜十二坪と七条四坊一・二・七〜十坪を『大安寺資財帳』A部分の一五坪とする従来説に対し、六条四坊一〜十一坪と七条四坊一・二・七・八坪を大安寺寺院地とするのです。そして、僧房東北隅から北に「通左右廡廊」を延ばして、食堂を二坪内に置く復原図を提示しました（図23）。森下さんもこれを有力な仮説として図示しています［森下二〇一六］。

この説では、六条四坊十二坪は寺院地一五坪の範囲外です。ところが、同坪内の六四次調査で「東院」と墨書した土器が出土しています。大安寺東院は、光仁天皇の第二皇子で、兄の桓武天皇が即位した時に皇太子となり、藤原種継暗殺事件に連座して不遇の死をとげた早良親王（崇道天皇）が住んだ場所です。すなわち、天平宝字五（七六一）年に出家して親王禅師と呼ばれた早良親王が、長年住み慣れた東大寺羂索院（法華堂）から神護景雲二（七六八）年に移り住んだ場所が大安寺東院でした［醍醐寺本諸寺縁起集「大安寺崇道天皇御院八嶋両処記文」］。奈良市教育委員会は、この頃に十二坪が新たに大安寺寺院地に組み込まれ、奈良県が調査した瓦葺礎石建物（図13）も新たに造営された東院関連施設と考えました。つまり、『大安寺資財帳』が成立した天平一九（七四七）年に一五坪だった大安寺寺院地（A部分）が、二〇年後に一六坪を占めるようになったと考えたのです。

しかし、以下に箇条書きするように、「寺院地西北部の食堂」に関する新説は、従来説の欠陥を補正できないだけでなく、新たな問題点を続々と生み出すことになります。

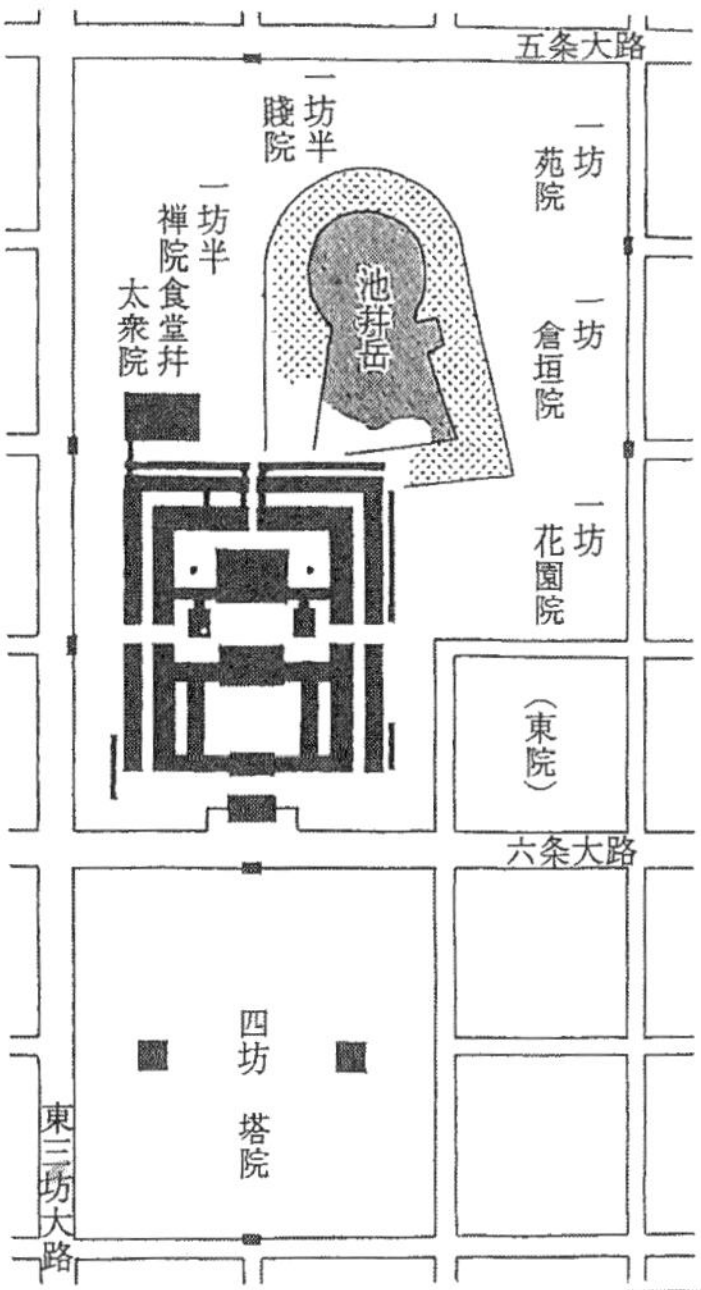

図23　五条大路を大安寺北限とする新説［奈良市教委1997］

杉山古墳付近で六条条間北小路を検出できないため、大安寺北限を五条大路とし、一坊半禅院食堂太衆院を寺院地北西部に置いた新説。賎院・苑院・倉垣院・花園院を一坪北半部と八〜十一坪に置くと、十二坪は寺院地からはずれる。しかし、六条条間南小路の痕跡が検出されないので十二坪は創建時から大安寺寺院地だった可能性が強い。なお、発掘で確認された北西中房は天平19年以前には存在せず、本来は西中房北列から廡廊を延ばし、食堂に達する形になる。

①食堂は講堂や僧房とともに僧地を構成する施設である。僧房が講堂の真東や真北に立地する例はあるが、三面僧房の西北隅から通路を延ばし、遠く離れて食堂が建つ例はない。

②食堂に通じる「通左右廡廊」は九丈九尺に満たず、「食堂前廡廊」も図化できない。そもそも「通左右廡廊」が中心から東西施設に通じる廊だという理解を欠いている。

③一・二・八の角地三坪を二分割して機能させるのは難しい。「一坊半禅院食堂并太衆院」が二坪と一坪南半部に該当するなら、一坪北半部と八坪は賎院で、五条大路に沿った二六六メートルが賎院となる。公的行列用のハレの大路沿いに延々と賎院が並ぶのは異常だ。

④「一坊半禅院食堂并太衆院」と「一坊半賎院」は六条四坊一坪を折半するのに、「合寺院地壱拾伍坊」における院地の記載順序では、その間に「一坊池并岳」が挿入され、時計回りで各院を列記したとする村田説と矛盾する。私見では村田説は成立しないが、村田説を前提に各院を配した新説は、自らその前提を否定している。

⑤従来の長方形寺院地に対し、逆L字形寺院地となる。しかし、六条四坊十一・十二坪の境界は奈良市一六次・四三次、県一九七三年調査で発掘したのに、六条条間南小路の延長は確認されていない。つまり、十二坪が七六八年以後に大安寺寺院地となったとする説は成立困難で、天平一九年以前から大安寺寺院地だったと考えるべきである。

⑥十二坪が新たに加わり、図13の瓦葺礎石建物を親王禅師（早良親王）のために建てたとするが、図13の建物は六条四坊十一坪南半部に立地し、十二坪＝東院の施設とするのは事実誤認である。「一坊半禅院食堂并太衆院」を十二坪と十一坪南半部にあてる私見では、親王禅師にふさわし

い禅院一帯を東院と呼ぶようになったと説明できる。

⑦十一坪南半部の瓦葺礎石建物（図13）にともなう瓦は、中心伽藍で出土する瓦と同じで、七六八年以後に、東院を新設した時の瓦と考えることはできない。

⑧杉山古墳で六条条間北大路の延長が検出できないのは、四条条間路や四条条間北小路、西三坊坊間東小路が宝来山古墳（垂仁天皇陵）を横断・縦貫しないのと同じである。平城宮・京の造営で破壊された市庭古墳（平城天皇陵古墳）前方部、神明野古墳、木取山古墳（左京一条三坊二坪）もあるが、杉山古墳は宝来山古墳と同様、破壊をまぬがれた古墳である。大安寺北限の条坊痕跡は杉山古墳の周濠よりも外側で探す必要がある。

⑨大安寺東院の呼称が『大安寺資財帳』に見えない事実は、新たに加わった寺院地であることを示す理由にはならない。「天平十九年帳」は僧房を方位で区別するが、施設の所在は坪単位で認識し、禅院・太衆院などの機能で呼ぶ。寺院地内施設を西南隅院・東南隅院など方位で区別・認識するのは、七八〇年「西大寺資財流記帳」以後のことである。

⑩親王禅師の異名を持つ早良親王の住まいとして、一堂六僧房からなる大安寺禅院は最適で、近くに政所院もある以上、東院を新設する必然性はない。東院を新設したのなら、天平一九年以来の禅院や政所院はどうなったのか説明する必要が生じる。

⑪二坪と一坪南半部を「一坊半禅院食堂并太衆院」とし、同地に政所院や温室院を含めると、食堂背後に厨・竈屋・井屋・碓屋を配し、その北に禅院や政所院・温室院を置かざるを得ない。『大安寺資財帳』に登録された関連建物がすべて収まったとしても、その配置は図22よりも、さら

に稠密かつ不自然になる。

⑫次項で確認するように、寺院地西北部は『大安寺資財帳』以降、修理院として機能した。大安寺の宗教・経営活動の一つのかなめとなる「禅院食堂幷太衆院」は、騒音・煤煙などの公害を生む修理院と相容れない施設で、寺院地西北部を占拠したはずがない。

⑬図23には、図9～11や図21・22にない「北西中房」がある。これは発掘調査で確認され、『大安寺資財帳』が成立した天平一九年以降に造営された施設と考えられている［森下二〇一四］。食堂は天平一九年以前に建ったので、図23以前は北西中房部が空白の間が抜けた伽藍配置で食堂が存続したことになる。

以上に挙げた一三項目におよぶ問題点のうち、六条四坊二坪と七坪西半部を「一坊半禅院食堂幷太衆院」にあてる従前説で解決すべき問題だったのは②だけで、残り一二項目は「寺院地西北部の食堂」新説で新たに生じた問題点です。ついた嘘を糊塗するため別の嘘を重ね、矛盾が拡大することは、子供がよく陥るジレンマです。学問世界でも、無理な仮説を合理化するため提起された新説が、以前になかった多くの矛盾を生み、その矛盾を説明するために、さらに余分な仮説が必要になることがあります。仮説を積み重ねると解決すべき問題点が倍増するのです。次項で確認するように、食堂を講堂の東に推定する説は『大安寺資財帳』の記事と発掘成果から得られるもっとも素直な理解です。しかし、史跡大安寺旧境内の発掘調査は、長年にわたって大安寺食堂は講堂の北にあるという前提で進められました。「寺院地西北部の食堂」説は、発掘成果で明らかになった前提の崩壊を糊塗するために、無理に重ねた仮説のように私には見えます。

食堂推定地の発掘成果――北方説の場合

結着をつけるには食堂跡を発掘するほかありませんが、これまでの大安寺旧境内の発掘成果でも、解決の糸口は示されています。まず、発掘で否定された講堂真北に食堂を想定する説（図9、図22）や、それに代わる寺院地西北部に食堂を推定する新説（図23）は、「一坊半禅院食堂并太衆院」を、六条四坊二坪と七坪西半部もしくは二坪と一坪南半部に比定します。一坪南半部は史跡指定地外なので発掘件数は少ないのですが、二坪と七坪西半部は史跡大安寺旧境内のなかでも比較的発掘調査が多くなされています。とくに杉山古墳の墳丘を利用して築いた瓦窯跡群は、整備事業を目的に発掘され、古墳を含めた膨大な調査成果が公表されています［奈良市教委一九九七］。しかし、肝心の「禅院食堂并太衆院」に関連する稠密かつ大規模な建物群の存在を示す遺構はなく、先述のように杉山古墳の周濠が西に延びて、講堂の真北に食堂が存在し得ないことだけが確実となりました。

杉山古墳に関わる整備発掘調査報告書刊行後も、二坪と七坪西半部では、毎年発掘を実施しています。平成一〇年度の七九次調査、一一年度の八四次調査、一二年度の八九次調査、一三年度の九三次調査、一四年度の九七次調査、一五年度の一〇三次調査、一六年度の一〇九次調査、一七年度の一一一次調査、一九年度の一一七次調査などです。これらの発掘では、奈良時代の井戸・溝や平安時代以降の掘立柱建物跡を検出していますが、「一坊半禅院食堂并太衆院」や温室院・政所院として列記された大規模な建物群が密集する『大安寺資財帳』の姿は片鱗もありません。平成五年度の五七次調査区は、後世の攪乱が著しかったのですが、奈良・平安時代の掘立柱建物や井戸跡を検出。瓦・土器・木簡以外にふいご羽口や鉄滓が出土しました［奈良市教委一九九四］。八世紀後半には杉山古墳の墳丘に瓦窯を築いたことからわかるように、大安寺寺院地西北部には施設の維持管理に必要な工房があったのです。つまり、二坪から七坪は『大安寺資財帳』以降に大安寺修理院となったと考えられます。寺院地北部に工房を設けた古代寺院は一般的ですが、排煙や騒音がいっぱいの工房と僧侶の食事空間（食堂院）や宗教活動拠点（禅院）は相容れません。今後の発掘でさらに事実が解明されるはずですが、二坪と七坪西半部が『大安寺資財帳』の禅院食堂并太衆院に該当しないことは、これまで検出した遺構からも明らかです。

森下さんは「杉山古墳西南部では漆紗冠や木簡、〈大安寺〉、〈大寺〉や〈公〉と書いた墨書土器、硯などが出土しており、杉山古墳の周濠部からは香盤と見られる須恵器、仏具である須恵器の浄瓶、転用硯などが出土しています。こうした遺物から杉山古墳の西南には大安寺の寺務を行っていた政所や太衆院の存在が推定できます」と述べています［森下二〇一六］。証拠とされた遺物のうち、漆紗冠は僧ではなく貴族や役人が被る冠。これが出土したのは五七次調査区の井戸で、付近には金属工房が推定できます。そもそも、漆紗冠は僧侶中心の政所院・太衆院・禅院・食堂院にはふさわしくない遺物で、寺院地西北部には工人やそれを管理する役人が出入りしていたことを示します。香盤や浄瓶は仏に香や浄水を供える仏具、転用硯は写経に必要な道具で、南接する僧房から廃棄されたと思われます。木簡・墨書土器の記載内容も、政所や太衆院と結びつきません。森下さんの説明も「一坊半禅院食堂并太衆院」が寺院地西北部にあったと主張するため、無理を重ねています。

食堂推定地の発掘成果――東方説の場合

これに対し、六条四坊十一坪南半部と十二坪を「一坊半禅院食堂并太衆院」に推定する私見に関し、奈良県の調査成果（図13）やその東の厨・竈屋推定地で出土した大量の製塩土器が給食センター（食堂院）の存在を裏づける（図16）ことは先述しました。これ以外に、十二坪中央北寄（図24、六四次調査区）では、奈良・平安時代の掘立柱建物や井戸・土坑が集中し、「東院」墨書土器や「白米二斗」「大豆五斗」の木簡が出土しました［奈良市教委一九九四、三好・篠原一九九四］。また、十二坪中央東寄（図25、八一-一次調査区）や南東部（図26、八三-三次調査区）では、小面積にもかかわらず奈良時代の掘立柱塀・建物が検出されました。図24は私見（図21）では太衆院倉庫群推定地、図25は倉庫群と禅院推定地近辺、図26は禅院近辺に該当します。太衆院倉庫群には給食センターに直結する各地からの食料品や貢納物が収められ、白米や大豆に関わる木簡が出土して当然です。

図24の掘立柱建物は柱掘形も大きく、礎板（柱の沈下を防ぐ板）に磚や熨斗瓦を置く入念な建物が含まれるので、重い貴重品を収納した倉庫にふさわしい構造です。我田引水的に言えば、禅院甲倉の可能性があります。熨斗瓦は礎板に転用されていましたが、専用に作られた「刻み熨斗瓦」で、その位置づけは今後の課題です（図27）。いずれにしても、近くに檜皮葺熨斗棟の格の高い掘立柱建物が先行して建っていたと推測できます。太衆院倉庫群の葺材は明記されていませんが、禅院・政所院・温室院の主要な建物は檜皮葺です。また、図26の掘立柱建物も柱掘形は一メートル以上と巨大で、大安寺禅院を構成する建物として遜色ありません。ただし、十二坪の西半

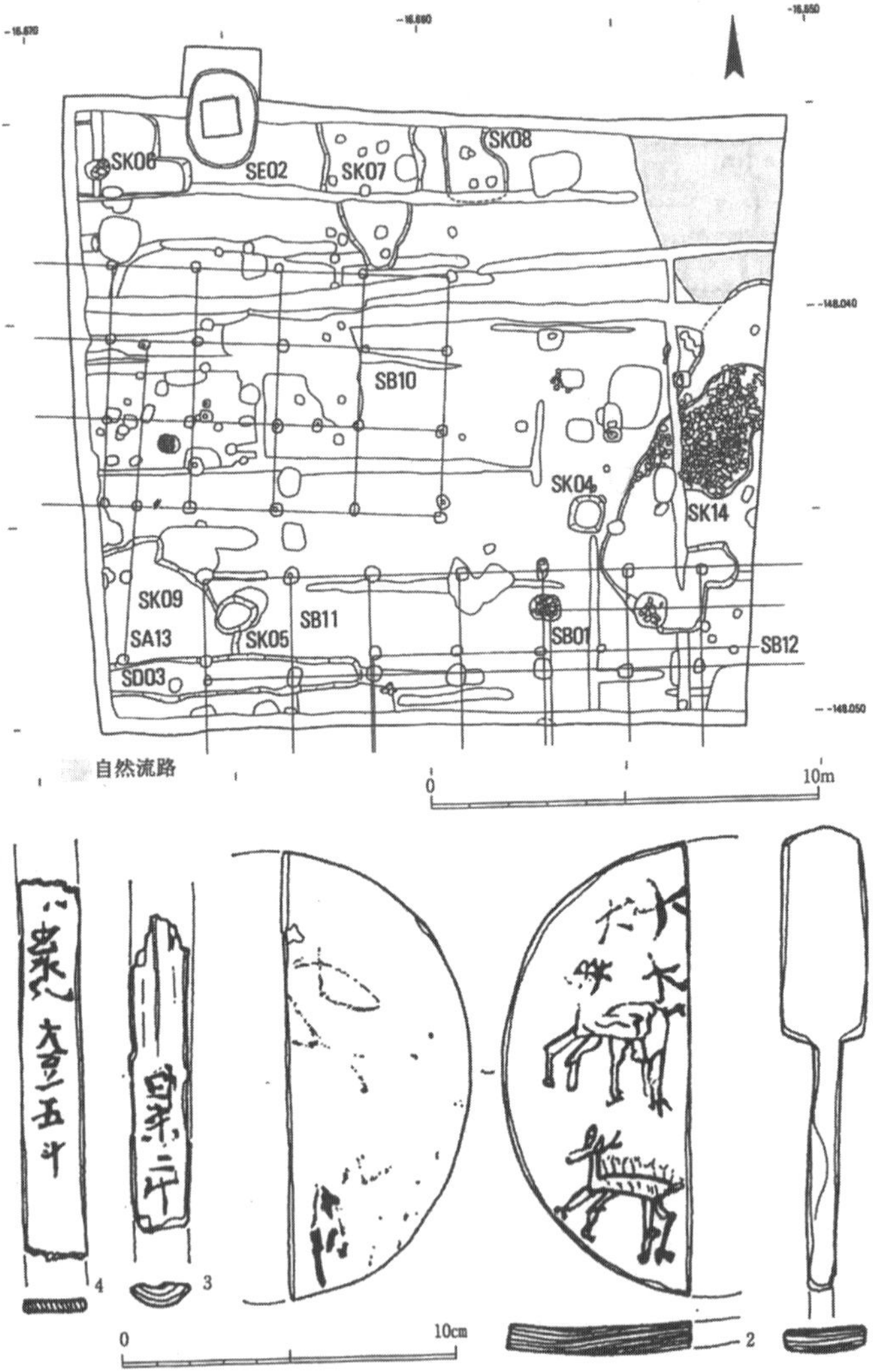

図 24　64 次調査区と出土木簡［奈良市教委 1994、三好・篠原 1994］

64 次調査区は十二坪の中央北寄、図 21 では太衆院倉庫群の推定位置に近い。大規模な総柱掘立柱建物跡 SB10･SB11 が検出され、井戸 SE02 からは、(1) 題箋、(2) 鹿絵や習書のある曲物底板、(3)「白米二斤」、(4)「出水郷 大豆五斗」などの文書保管や食料調達に関わる木簡が出土した。これらの遺構や遺物は、同地を給食センターに近接する太衆院倉庫群に推定する私見を裏づける。

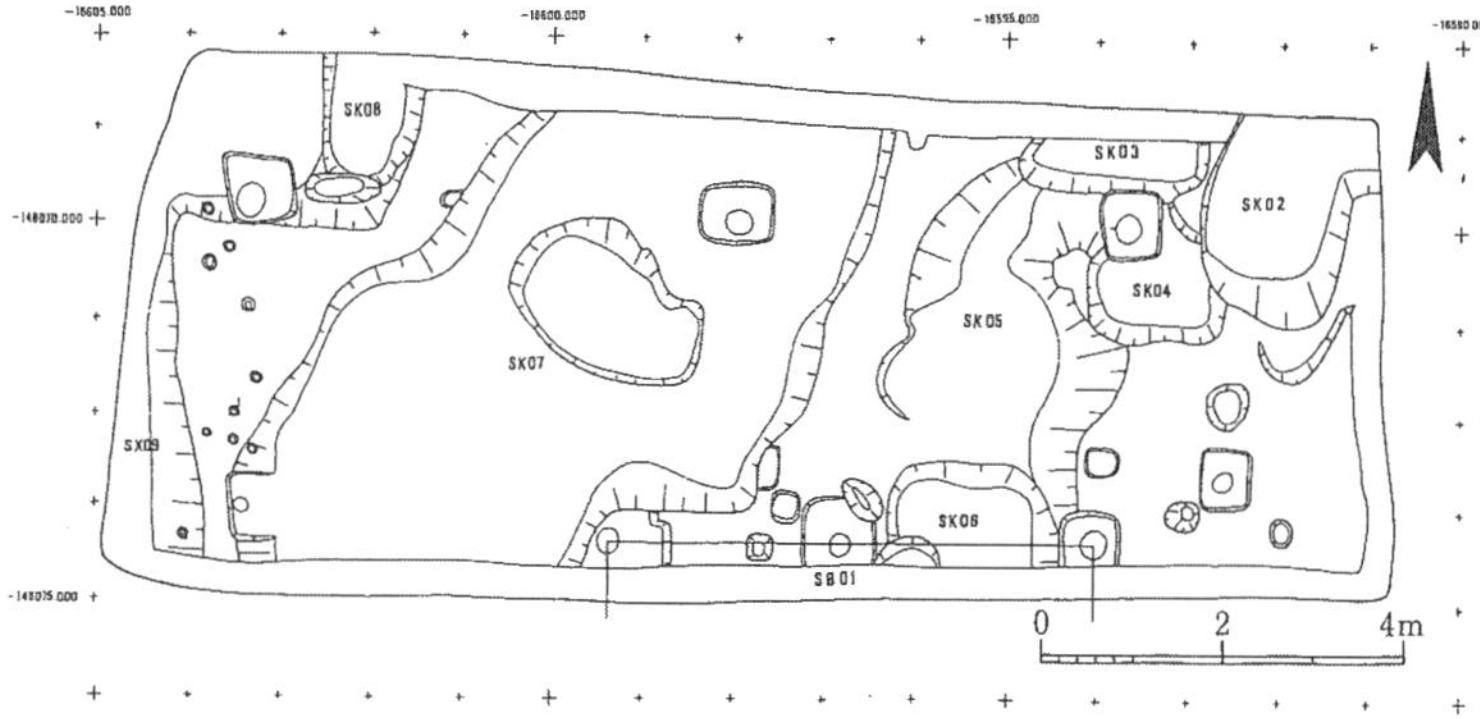

図 25　81-1 次調査区遺構図［奈良市教委 1982］

81-1 次調査区は十二坪の中央東寄、図 21 では太衆院倉庫群や禅院推定位置に近い。調査区南端の掘立柱建物 SB01 の柱掘形は一辺 80cm と大きく、塼や熨斗瓦を礎板にした径 1 尺の柱根が残る。重量のある貴重品を収納した甲倉の可能性を想像している。礎板に転用した熨斗瓦（図 27）は特注品で、近くに檜皮葺として格が高い棟を熨斗瓦で覆った熨斗棟檜皮葺の掘立柱建物があったことになる。私見では禅院施設となる。

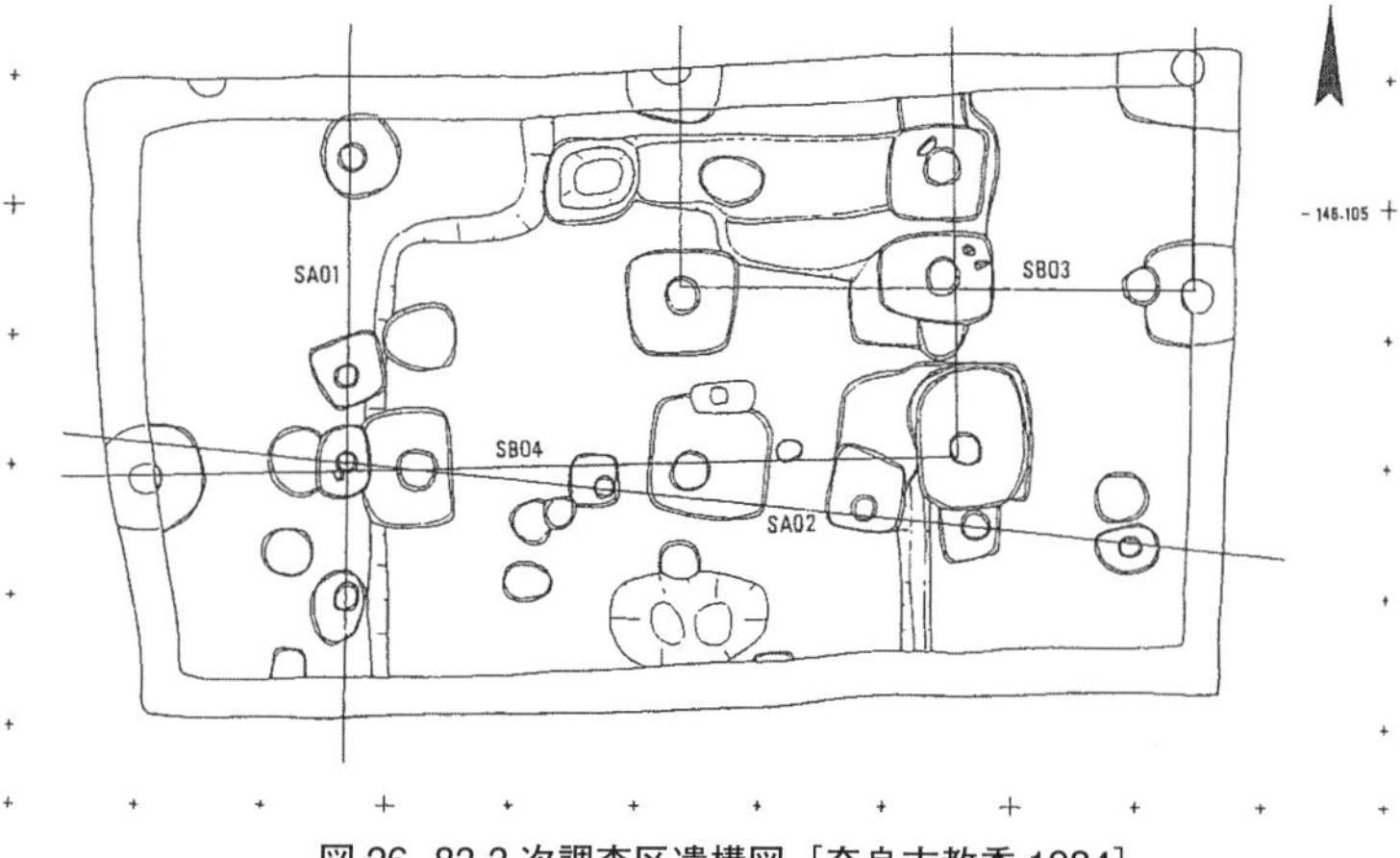

図 26　83-3 次調査区遺構図［奈良市教委 1984］

83-3 次調査区は十二坪の南東部、図 21 では禅院推定地に近い。発掘面積は狭いが、２条の掘立柱塀、２棟の掘立柱建物を検出している。柱掘形は一辺 1 m 以上と巨大で、禅院の檜皮葺建物と考えたい。

部から西隣の五坪は、農業用溜池＝芝池で大きく掘削されています。芝池東岸の発掘（一一三次調査）では遺構は残っていませんでした。私の復原に妥当性があるとすれば、維那房を含む寺務中枢を担った政所院が、今後の発掘で解明される可能性は低いことになります。

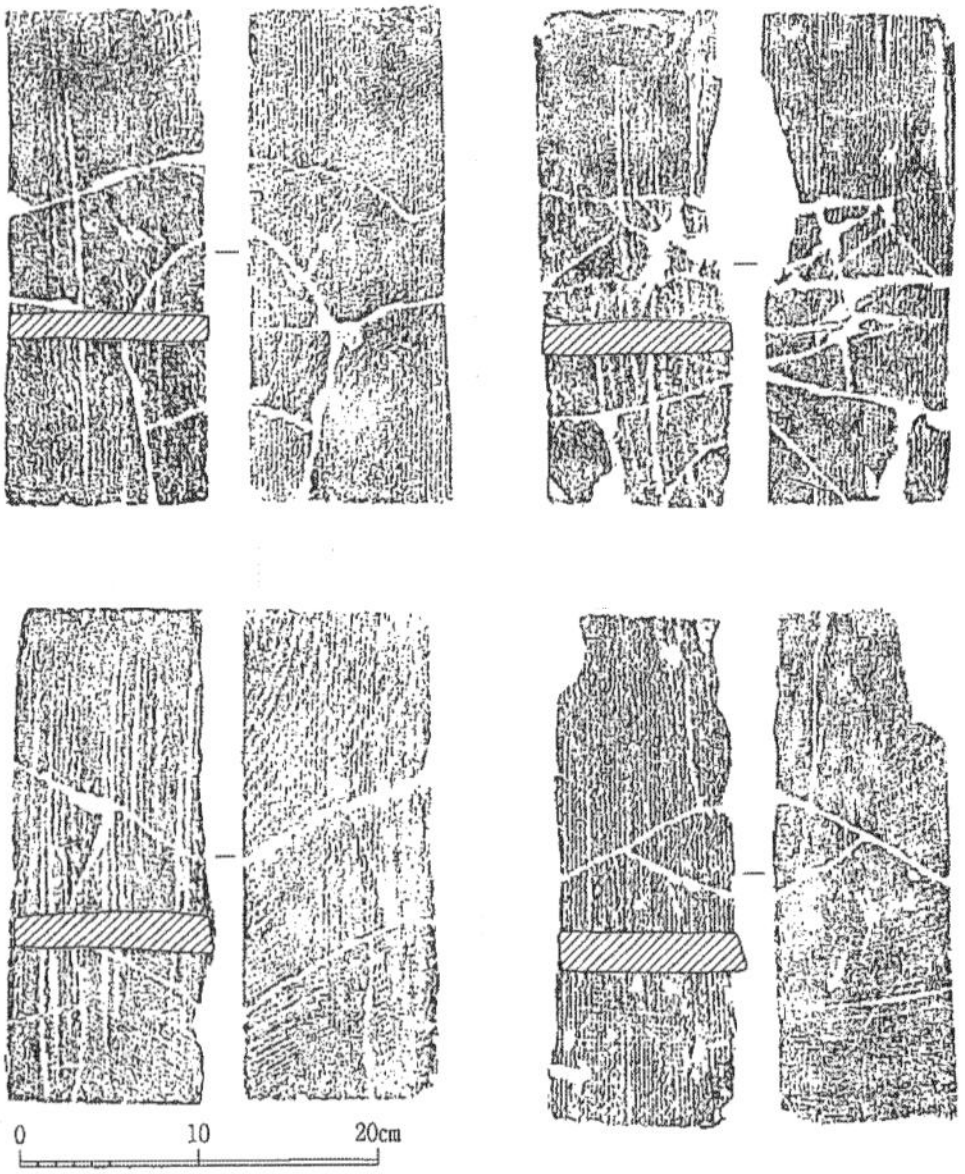

図27　81-1次調査区出土の「刻み熨斗」瓦（1/8）［奈良市教委1982］

屋根の棟を覆う熨斗瓦には、普通の平瓦を割って半截した「割り熨斗」、あらかじめ平瓦凹面に刻みを入れて半截を容易にした「刻み熨斗」、焼成前から熨斗瓦の形を整えた「切り熨斗」がある。瓦屋根に不可欠な熨斗瓦の報告例が少ないのは、破片になると普通の平瓦と区別しにくい前二者が一般的だからである。緑釉瓦屋根の平安宮大極殿や豊楽院で顕著な「切り熨斗」瓦は、側面に施釉するための特注品だ。本例は彎曲を緩やかに再加工した特注の「刻み熨斗」瓦で、文武朝大官大寺に類品があると聞く。SB01の妻柱礎板に同じ特徴の製品５点を転用しており、この熨斗瓦を使った檜皮葺熨斗棟の建物が、近くで先行して建っていたと推定できる。

おわりに

以上、第一章で寺院資財帳について簡単に説明したのち、第二章では『大安寺資財帳』縁起が大安寺の前史について多く語っているのに対し、大安寺自体の成立経緯についてほとんどふれていない理由について色々と考えをめぐらせました。納得できる結論には至りませんでしたが、基本的に寺名は寺院として公認された証で、歴史背景として公認基準や公認時期、公認の象徴が微妙に揺れ動いた事実があります。大安寺の場合は、藤原京において天武朝大官大寺と文武朝大官大寺が共存し、後者が造営途上で焼失した事実、平城京において『大安寺資財帳』成立時には大安寺造営が完了していない事実が、大安寺の成立経緯についての縁起の記述が曖昧になった背景にあると考えます。

第三章では、登録内容に矛盾があって多くの異論を生じていた『大安寺資財帳』の仏像リストを、納得できる形に修正できました。寺の基本財産で、資財帳作成者が容易に参照かつ検証できる仏像リストに誤りがあるという従来説には、かねがね疑問を抱いていましたが、その「誤り」は台帳作成に不慣れなために生じた記載の不統一・不具合だったと理解できます。その不統一・不具合を修正したのちに、皇極天皇が作成した「霊鷲山繍仏図」が本来の百済大寺本尊で、天智天皇造立の丈六即像（釈迦如来像）が前立に加わり、高市大寺（天武朝大官大寺）を経て、聖武天皇・道慈・教義が加えた即像群により「霊鷲山繍仏図」の立体化が平城京大安寺において実現した経過が明らかになりました。

第四章では、第三章の検討成果を踏まえ、道慈の「改造大寺」が定説化していた建設事業ではなく、インド国王像を中門に配し、大般若会創始にともない「大般若四処十六会図像」を作成するなど、天平期における大安寺の信仰形態に関わる大変革を指すことを明らかにしました。とくに、塔院が七条四坊一・二・七・八坪を占めるのが道慈の発案とする説は長年有力視されていましたが、発掘により先行条坊や宅地が検出されない以上、平城遷都当初から塔院地は確保されており、道慈が関与する余地のないことがわかりました。

第五章では、『大安寺資財帳』に接した時から、ずっと気になっていた一彫像にすぎない聖僧が破格の金満家である事実、およびその没落と歴史背景について解説しました。私としてはすでに解決済の問題ですが、比較的わかりやすい形で解説できたと思っています。

第六章では、異論の多い大安寺食堂の位置について再論しました。すでに大岡―亀田説が明らかにしたように、中心伽藍の東方、すなわち左京六条四坊十一坪南半部に食堂があったことは前著でも述べました。同説を補強するために、本章では『大安寺資財帳』に登録された「一坊半禅院食堂并太衆院」や政所院・温室院の建物配置図を大安寺伽藍に具体的に描き込んで、大安寺中心伽藍の東方施設の実態を明確にしました。これにより、従来の講堂北方説すなわち六条四坊二坪と七坪西半部には、これらの建物施設が収まりきらないことが明確になりました。杉山古墳が講堂北方を大規模に占拠しているからです。もちろん、前著でも指摘したように、北方説自体が『大安寺資財帳』の登録内容と明確に矛盾する事実も改めて強調しました。また、従来の講堂北方説を克服するために新たに提起された大安寺寺院地の北限を五条大路とし、「一坊半禅院食堂并太衆院」を六条四坊一坪南半部と二坪に推定する「寺院地西北部の食堂」説は、従来の北方説には存在しなかった新たな矛盾点や解決すべき問題点が多数生じる事実を指摘して、成立しがたいことも合わせて論じました。発掘成果が食堂東方説に有利であることも前著で指摘しましたが、本章では具体的な建物配置図に合わせて発掘成果も検証し、北方説が成立しがたいこと、東方説が有利なことも示しました。

以上、『大安寺資財帳』の分析を通じて、奈良時代の大安寺がおこなった宗教・経営活動の実態に肉薄できる事実を、具体的に御説明致しました。長時間にわたる御静聴に感謝致します。皆様方の奈良時代の大安寺についての疑問が少しでも解決し、一層の関心を喚起できたとすれば望外の幸せです。

参考文献

秋山光和ほか　一九九四年『西域美術第一巻　ギメ美術館ペリオ・コレクション』講談社
浅野　清　一九五三年『法隆寺建築綜観――昭和修理を通じて見た法隆寺建築の研究』京都大学文学部考古学叢書第一冊、便利堂
飛鳥資料館　一九八五年『大官大寺――飛鳥最大の寺』資料館カタログ第八冊
足立　康　一九三三年「薬師寺三尊の制作年代」『国華』第四三編第六・七冊（後に「薬師寺金堂本尊の造顕年代」と改題して『日本彫刻史の研究』龍吟社一九四四年所収）
足立　康　一九三七年「大安寺金堂本尊に就いて」『国華』第四七編第一一冊（後に『日本彫刻史の研究』龍吟社一九四四年所収）
石田瑞麿　一九六八年「鑑真における布薩の意義」『南都佛教』第二一号、南都佛教研究会
上野邦一　一九八四年「大安寺の発掘調査」『大安寺史・史料』大安寺史編纂委員会
上原眞人　一九八六年「仏教」『岩波講座日本考古学』第四巻、集落と祭祀
上原眞人　二〇〇五年「古代寺院の湯屋」『宝菩提院廃寺湯屋跡』向日市埋蔵文化財調査報告書第六四冊（第二分冊）、向日市教育委員会
上原眞人　二〇〇六年「寺院造営と生産」『記念的建造物の成立』シリーズ都市・建築・歴史1、東京大学出版会
上原眞人　二〇一四年『古代寺院の資産と経営――寺院資財帳の考古学』すいれん舎
上原眞人　二〇一五年「双塔伽藍の伝来と展開」『瓦・木器・寺院――ここまでの研究これからの考古学』すいれん舎（初出は『列島の古代史〈八〉古代史の流れ』二〇〇六年）
上原眞人　二〇一六年「如意を持つ僧――寺院資財帳にみる布薩」『東大寺の新研究1　東大寺の美

術と考古』法蔵館
上原眞人　二〇二〇年『古代寺院の生き残り戦略――資財帳が語る平安時代の広隆寺』柳原出版
宇治市教育委員会　一九八七年「岡本廃寺・岡本遺跡発掘調査概要」『宇治市埋蔵文化財発掘調査概報』第一〇集
大岡　實　一九六六年『南都七大寺の研究』中央公論美術出版
太田博太郎　一九七九年『南都七大寺の歴史と年表』岩波書店
大和田岳彦　一九九七年「大仏建立以前の南都寺院伽藍」『日本歴史』五八七号、吉川弘文館
岡崎市教育委員会　一九九一年『国指定史跡　愛知県岡崎市　北野廃寺』
岡田英男　一九八四年「大安寺伽藍と建築」『大安寺史・史料』大安寺史編纂委員会（後に『古代建築の構造と技法――岡田英男論集』下、思文閣出版二〇〇五年所収）
小野佳代　二〇一三年「奈良時代の南都諸寺の僧形像――鑑真像と行信像」『てら　ゆき　めぐれ』大橋一章博士古稀記念美術史論集、中央公論美術出版
木内武男・沢田むつ代　一九八〇年「法隆寺の仏幡について」『ミューゼアム』三四八号、東京国立博物館
木下正史　二〇〇五年『飛鳥幻の寺、大官大寺の謎』角川選書三六九
教王護国寺　一九八一年『教王護国寺防災施設工事・発掘調査報告書』
肥田路美　一九九四年「勧修寺繍仏再考」『佛教藝術』二一二号、毎日新聞社
国立歴史民俗博物館　二〇〇一年『（共同研究）古代荘園絵図と在地社会についての史的研究（額田寺伽藍並条里図の分析）』国立歴史民俗博物館研究報告第八八集
（財）滋賀県文化財保護協会　二〇〇一年『穴太遺跡発掘調査報告書Ⅳ』滋賀県教育委員会
正倉院事務所　一九七一年『正倉院の陶器』日本経済新聞社

神野　恵　二〇一二年「都城の製塩土器」『塩の生産・流通と官衙・集落』第一六回古代官衙・集落研究会
菅谷文則　二〇二〇年『大安寺伽藍縁起并流記資財帳を読む』大安寺歴史講座1、東方出版
高橋照彦　二〇〇一年「正倉院三彩の伝来過程と製作契機」『佛教藝術』二五九号、毎日新聞社
竹内理三　一九三二年『奈良朝時代における寺院経済の研究』大岡山書店（後に、新たに公表した論文も合わせて『竹内理三著作集』第一巻、角川書店一九九八年所収）
田中嗣人　一九八九年「大安寺の造営と諸尊の造立」『佛教藝術』一八七号、毎日新聞社
田村吉永　一九六〇年「平城京大安寺の西明寺模倣説について」『史迹と美術』第三〇輯ノ八（第三〇八号）史迹美術同攷会
中国社会科学院考古研究所西安唐城工作隊　一九九〇年「唐長安西明寺遺址発掘簡報」『考古』一九九〇年第一期
角田文衞監修　一九九四年『平安京提要』（古代学協会・古代学研究所）角川書店
東京国立博物館　一九九九年『生まれかわった法隆寺宝物館』
東京国立博物館　二〇一九年『特別展国宝東寺――空海と仏像曼荼羅』
中井　公　一九九七年「〈大安寺式〉軒瓦の年代」『堅田直先生古希記念論文集』
中井真孝　一九七八年「道慈の律師辞任について」『続日本紀研究』二〇〇号、續日本紀研究会
中野　聡　二〇〇〇年「霊験仏としての大安寺釈迦如来像」『佛教藝術』二四九号、毎日新聞社
奈良県立橿原考古学研究所　一九七七年「大安寺旧境内発掘調査概報」『奈良県遺跡調査概報　一九七六』奈良県教育委員会
奈良県立橿原考古学研究所　一九七八年「奈良市大安寺旧境内発掘調査概報」『奈良県遺跡調査概報一九七七』奈良県教育委員会

奈良国立博物館　二〇一八年『糸のみほとけ――国宝綴織當麻曼荼羅と繍仏』修理完成特別展図録
奈良国立文化財研究所　一九五八年『飛鳥寺発掘調査報告』学報第五冊
奈良国立文化財研究所　一九五九年『興福寺食堂発掘調査報告』学報第一〇冊
奈良国立文化財研究所　一九七八年「大官大寺第四次の調査」『飛鳥・藤原宮発掘調査概報8』
奈良国立文化財研究所　一九九一年『平城宮発掘調査報告XⅢ――内裏の調査Ⅱ』学報五〇冊
奈良国立文化財研究所　一九九六年『平城京・藤原京出土軒瓦型式一覧』
奈良文化財研究所　二〇〇二年a『山田寺発掘調査報告』創立五〇周年記念学報第六三冊
奈良文化財研究所　二〇〇二年b『日中古代都城図録』創立五〇周年記念史料第五七冊
奈良文化財研究所　二〇〇三年『吉備池廃寺発掘調査報告――百済大寺の調査』学報六八冊
奈良文化財研究所　二〇一七年『飛鳥・藤原宮発掘調査報告V――藤原京左京六条三坊の調査』学報九四冊
奈良市教育委員会　一九八二年「大安寺旧境内発掘調査報告」『奈良市埋蔵文化財調査概要報告書　昭和五六年度』
奈良市教育委員会　一九八四年「大安寺旧境内発掘調査報告」『奈良市埋蔵文化財調査概要報告書　昭和五八年度』
奈良市教育委員会　一九九四年「史跡大安寺旧境内の調査」『奈良市埋蔵文化財調査概要報告書　平成五年度』
奈良市教育委員会　一九九七年「総括」『史跡大安寺旧境内Ⅰ　杉山古墳地区の発掘調査・整備事業報告』奈良市教育委員会
奈良市教育委員会　二〇〇二年「史跡大安寺旧境内（賎院推定地）の調査　第八八次」『奈良市埋蔵文化財調査概要報告書　平成一二年度』

奈良市教育委員会　二〇〇四年「史跡大安寺旧境内（西塔跡）の調査　第九四次」『奈良市埋蔵文化財調査概要報告書　平成一三年度』
奈良市教育委員会　二〇〇五年「史跡大安寺旧境内（西塔跡）の調査　第一〇〇次」『奈良市埋蔵文化財調査概要報告書　平成一四年度』
奈良市教育委員会　二〇〇六年「史跡大安寺旧境内（西塔跡）の調査　第一〇二次」『奈良市埋蔵文化財調査概要報告書　平成一五年度』
奈良市教育委員会　二〇〇七年「史跡大安寺旧境内（西塔跡）の調査　第一〇五次」『奈良市埋蔵文化財調査概要報告書　平成一六年度』
奈良市教育委員会　二〇〇八年「西塔地区の調査　第一一〇次」『奈良市埋蔵文化財調査年報　平成一七（二〇〇五）年度』
奈良市教育委員会　二〇〇九年「史跡大安寺旧境内（東塔地区）の調査　第一一四次」『奈良市埋蔵文化財調査年報　平成一八（二〇〇六）年度』
奈良市教育委員会　二〇一五年「塔院地区の調査　第一三〇次」『奈良市埋蔵文化財調査年報　平成二四（二〇一二）年度』
奈良市教育委員会　二〇二〇年「塔院・六条大路の調査　DA第一四三次」『奈良市埋蔵文化財調査年報　平成二九（二〇一七）年度』
奈良市埋蔵文化財調査センター　二〇〇七年『並びたつ大塔――大安寺塔跡の発掘調査』平成一九年度秋季特別展＜第二五回平城京展＞図録
白山市教育委員会　二〇一六年『石川県白山市加賀横江荘遺跡』
服部匡延　一九七二年「大安寺伽藍配置の成立に関する一考察」『考古学雑誌』第五八巻第三号、日本考古学会

林　宥海　一九三八年「敦煌千仏洞に於ける華厳経七処九会図像に就いて」『密教研究』六七号、高野山大学密教研究会
原　浩文　二〇二〇年「日本及び中国の仏教寺院における講堂の機能と仏像安置」『仏教芸術』第四号、中央公論美術出版
福山敏男　一九三三年a「興福寺西金堂の造営」『東洋美術』一七号（後に「奈良時代に於ける興福寺西金堂の造営」と改題し『日本建築史の研究』桑名文星堂一九四三年所収）
福山敏男　一九三三年b「興福寺西金堂の遺物」『仏教美術』第一九冊（後に「興福寺西金堂遺物の伝来」と改題し『日本建築史の研究』桑名文星堂一九四三年所収）
福山敏男　一九三四年「飛鳥寺の創立に関する研究」『史学雑誌』第四五巻第一〇号、史學會（後に「飛鳥寺の創立」と改題し『日本建築史研究』墨水書房一九六八年所収）
福山敏男　一九三六年「大安寺及び元興寺の平城京への移建の年代」『史跡名勝天然記念物』第一一巻第三号（後に「大安寺と元興寺の平城京移建の年代」と改題し『日本建築史研究』墨水書房一九六八年所収）
文化財保護委員会　一九六七年『四天王寺――大阪市天王寺区元町所在』埋蔵文化財発掘調査報告第六冊
間壁葭子　一九七〇年「官寺と私寺」『古代の日本4　中・四国』上田正昭・近藤義郎編、角川書店（後に「吉備と中・四国の古代寺院」と改題して『吉備古代史の基礎的研究』学生社一九九二年所収）
松本包夫　一九八一・八二年「正倉院の染織幡」『正倉院年報』三・四号、宮内庁正倉院事務所
水野柳太郎　一九九三年『日本古代の寺院と史料』吉川弘文館
宮城県教育委員会・多賀城町　一九七〇年『多賀城跡調査報告1――多賀城廃寺跡』吉川弘文館

三好　直　二〇〇二年「＜大安寺伽藍縁起并流記資財帳＞にみられる大安寺釈迦像について」『博物館学年報』第三四号、同志社大学博物館学芸員課程
三好美穂・篠原豊一　一九九四年「奈良大安寺旧境内」『木簡研究』一六号、木簡学会
向井佑介　二〇一九年「中国における双塔伽藍の成立と展開」『古代寺院史の研究』（菱田哲郎・吉川真司編）思文閣出版（『中国初期仏塔の研究』二〇二〇年、臨川書店、所収）
村田治郎　一九五四年「薬師寺と大安寺の占地」『史迹と美術』二四〇号、史迹・美術同攷会
森　郁夫　一九八九年「わが国古代における造営技術僧」『学叢』第一一号、京都国立博物館（後に「造営技術僧の活躍」と改題し『日本古代寺院の造営』一九九八年所収）
森下惠介　二〇一四年「平城京における大安寺の造営計画」『都城制研究（八）――古代都城と寺社』奈良女子大学古代学学術研究センター
森下惠介　二〇一六年『大安寺の歴史を探る』大安寺歴史講座2、東方出版
森田克行　二〇一五年「鎌足墓と摂津三島の阿威山――乾漆棺、乾漆像の世界と漆部氏」『藤原鎌足と阿武山古墳』高槻市教育委員会編（吉川弘文館）
山崎信二　一九八三年「後期古墳と飛鳥白鳳寺院」『文化財論叢』奈良国立文化財研究所創立三〇周年記念論文集、同朋舎
山本忠尚　一九八四年「大安寺の屋瓦」『大安寺史・史料』大安寺史編纂委員会
吉川真司　二〇一〇年「古代寺院の食堂」『律令国家論集』塙書房
歴史館いずみさの　二〇〇二年『古墳から寺院へ――古代和泉と国家形成』二〇〇二年度特別展
和歌山県教育委員会一九八六年『上野廃寺跡発掘調査報告書』
和田　萃　一九六九年「殯の基礎的考察」『史林』第五二巻第五号、史学研究会
和田　萃　一九八四年「百済宮再考」『季刊明日香風』第一二号、明日香保存財団

上原眞人（うえはら　まひと）

1949年生。

1979年、京都大学大学院文学研究科博士課程単位取得退学（考古学専攻）。

1979〜1996年、奈良国立文化財研究所研究員、同主任研究官。

1996〜2016年、京都大学大学院文学研究科歴史文化学系教授（考古学）。

2016年〜京都大学名誉教授・（公財）辰馬考古資料館館長。

2019年〜（公財）黒川古文化研究所所長。

主要著作：『木器集成図録　近畿原始篇』奈良国立文化財研究所史料第36冊、1993年。『蓮華紋』日本の美術359号、至文堂、1996年。『瓦を読む』歴史発掘11、講談社、1997年。『古代寺院の資産と経営——寺院資財帳の考古学』すいれん舎、2014年。『瓦・木器・寺院——ここまでの研究　これからの考古学』すいれん舎、2015年。『古代寺院の生き残り戦略——資財帳が語る平安時代の広隆寺』柳原出版、2020年。

大安寺歴史講座 4
奈良時代の大安寺——資財帳の考古学的探究

2021年2月22日　初版第1刷発行

著　者　上原眞人
編　者　南都大安寺
編集協力　Nara Stag Club
発行者　稲川博久
発行所　東方出版（株）
〒543-0062 大阪市天王寺区逢阪2-3-2
Tel. 06-6779-9571　Fax. 06-6779-9573
装　幀　森本良成
印刷所　亜細亜印刷（株）

乱丁・落丁はおとりかえいたします。

ISBN978-4-86249-407-8

大安寺歴史講座シリーズの刊行にあたって

大安寺は上代における日本仏教の源泉ともいうべき寺院でした。聖徳太子建立と伝わる熊《くま》凝精舎《ごりしょうじゃ》に淵源を持ち、舒明《じょめい》天皇による最初の官大寺として仏教の黎明期を支え、天武期には、高市大寺《たけちのおおてら》、大官大寺《だいかんだいじ》と変遷して仏教導入による日本の国家形成の主軸となったのでした。

さらに平城京遷都に伴って今日の地に移されて大安寺となり、二十五万平方メートルにおよぶ広大な寺域に九〇余棟の建物が立ち並び、八八七名という学侶が居住して、仏教の基礎研究の拠点となり、仏教文化の受容と伝播に重要な役割を果たしたのです。

今日の大安寺は、古の大伽藍は地下遺構に埋もれ、往年の巨大寺院の影をすっかり潜めてしまいましたが、旧境内全域が国の史跡に指定され、また、天平時代の仏像九体が残されて仏法とその歴史的意義が今日に伝えられています。

大安寺歴史講座は、今日までの様々な研究や発掘による成果に基づき、人々の記憶の中に埋没した大安寺の歴史を掘り起こし、その宗教的意義や文化的意義を再認識し、新たな知見を得ると共に、それらを記録にとどめていくことを目指しています。

大安寺の旧伽藍を昔のまま復元していくことが寺院としての第一義ではありません。むしろ今日的境内整備と相俟って、かつての大安寺の存在が掘り起こされ、人々の間に認識されて、その精神的な復興につながることになれば望外の喜びです。

大安寺貫主　河野良文《こうのりょうぶん》